CLAUDIE CORTY-CAPDEVILLE

MANUEL DE CUISINE DU BERRY

avec
dix reproductions de photographies anciennes

Jean Curutchet
Editions HARRIET

Bayonne 1995

Si vous souhaitez être tenu régulièrement au courant de nos publications, envoyez vos nom et adresse en citant ce livre aux

Editions HARRIET
B.P. 710
64107 BAYONNE Cedex
Tél. 59 59 06 41
Fax 59 59 48 94

Maquette couverture: OSTOA/Hasparren
Photo couverture: Roussel/Chateauroux
Cette photographie représente une grange-hospital du XIII ème siécle qui se trouve à
LYS-ST.GEORGES (Indre).

Remerciements

Nos remerciements vont tout spécialement à Mmes Martine Colomb[1], de Nohant-Vic, et Bernadette Villain[2], de Vierzon dont la collaboration nous a été des plus précieuses lorsqu'il s'est agi de collecter les recettes de ce manuel. Mmes Gilles Legros, de Reuilly et Catherine Rabasté, de Vierzon, ont également participé à ce travail en nous communiquant quelques autres recettes qui avaient échappé à nos investigations.

Madame Mauricette Demarty, de Clavières, nous a fort aimablement autorisé à puiser dans sa très belle collection de cartes postales anciennes pour illustrer notre livre. Nous ne saurions enfin oublier la patience déployée par Mme Nadine Eyherachar, de Hélette, pour déchiffrer le manuscrit que nous lui avions confié.

Essayez ces recettes et vous serez à nouveau dans le Berry — Avec toute mon amitié

Martine

1. Recettes indiquées par *
2. Recettes indiquées par **

Préface

Le Berry a été pour moi une inoubliable terre d'accueil qui m'a tout d'abord séduite par la variété de ses paysages, la richesse de son passé historique et... oserais-je l'avouer... par les saveurs nouvelles offertes par sa cuisine locale !

Cette cuisine je l'ai découverte en partie grâce aux femmes rencontrées au hasard de mon travail puis revues très souvent ensuite, par plaisir, alors que se tissaient des liens de sympathie, voire d'amitié.

Mes origines (milieu rural du sud-ouest) me prédisposaient sans doute à apprécier ces parfums savoureux qui s'échappent des cuisines, lorsque se cuisent les divers pâtés ou « licheries » dont sont friands les Berrichons.

Mais il faut du temps pour que soient évoquées ensuite telle caractéristique gastronomique, telle pratique culinaire. Quand tout cela s'exprime dans la « langue du pays » c'est un charme supplémentaire qui fait que l'on savoure encore plus la recette présentée.

Ouvrez ce livre ! Vous y trouverez des plats de tous les jours réalisés avec les produits du cru que vous avez toujours connus dans vos familles. On sait, depuis Proust, le rôle que jouent les sensations dans l'apparition d'un souvenir. Pour moi qui ai maintenant quitté le Berry qui m'avait si gentiment reçue, j'ai eu plaisir à écrire ce livre avec le soutien de quelques amies, pour retrouver la mémoire de jours heureux.

Bon appétit !

C. Corty-Capdeville.

NOTE EXPLICATIVE

 : ce signe indique la durée nécessaire à la préparation de la recette.

 : ce signe indique le temps de cuisson réclamé par chaque recette.

> **Les recettes de ce Manuel sont établies pour 5 ou 6 personnes.**

Remarques:

a) Les temps de préparation sont donnés à titre indicatif.

b) Les proportions indiquées en tête de chaque recette correspondent à une préparation-type. Il est bien évident que chaque cuisinier(e) pourra varier légèrement tel ou tel ingrédient selon son propre goût, de façon à obtenir expérimentalement une recette personnalisée.

POTAGES

POTAGE À L'OSEILLE

Pour 4 personnes :
Une grosse poignée
d'oseille
Beurre
Sel, poivre
2 l d'eau
Crème fraîche
croûtons frits

préparation · cuisson

— Faire fondre l'oseille dans une poêle avec du beurre après l'avoir coupée en lamelles.

— Mouiller avec de l'eau chaude salée et laisser bouillir 10 à 12 minutes.

— Servir avec de la crème fraîche et des croûtons frits.

On peut remplacer l'eau par du lait ou un mélange eau/lait.

La soupe a longtemps été à la campagne, l'aliment de base. On en mangeait le matin, le soir et parfois à midi. Souvent elle était constituée très simplement de pain trempé dans un bouillon chaud ou du lait.

POTAGE ERMITE

Une poignée de lentilles
du Berry
Une poignée d'haricots
en grains
2 poireaux
4 pommes de terre
4 carottes
2 oignons émincés
Cerfeuil, sel, poivre

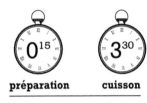

préparation   **cuisson**

— Cuire les lentilles et les haricots pendant 2 heures dans de l'eau froide. Ajouter tous les autres ingrédients et cuire environ 1 h 30.
— Servir sur des croûtons frits.

NOTRE PAIN QUOTIDIEN
La miche était sacrée. Au grand jamais on n'aurait osé jeter un *grignon*, même rassis. Le pain signifiait la vie, ni plus ni moins. Le curé le bénissait à l'office du dimanche et le chef de famille, avant d'entamer un fendu de quatre livres, traçait toujours sur sa croûte une large croix à la pointe de son couteau.
Un pain, posé à l'envers sur la table marquait une grave négligence ; le diable ne guettait que ce signe pour pénétrer dans la maison et y dénouer son baluchon de calamités.

SOUPE AU LAIT

500 g de pommes de
terre Bintje
1 oignon
1/2 l de lait
10 g de beurre
Persil, ciboulette
Thym
Sel, poivre

préparation 0¹⁰   **cuisson** 0³⁵

— Éplucher et hacher l'oignon assez finement. Mettre à fondre dans une marmite avec du beurre.

— Éplucher les pommes de terre, couper en rondelles d'1 cm d'épaisseur et ajouter aux oignons.

— Hacher les fines herbes, les mettre dans la casserole et couvrir le tout avec 1/4 de litre d'eau. Saler, poivrer.

— Cuire 30 minutes.

— Chauffer le lait, et verser sur les légumes. Laisser bouillir 1 à 2 minutes (servir aussitôt).

* On peut écraser les pommes de terre si on le désire.

CRÈME DE POTIRON

Potiron
1 l d'eau salée
1 l de lait
30 g de beurre
50 g de riz (ou farine)

préparation   **cuisson**

— Peler le potiron, le couper en morceaux, le couvrir d'eau salée.

— Laisser bouillir jusqu'à ce qu'il s'écrase facilement, puis le passer dans une passoire.

— Remettre sur le feu dans 1 l d'eau, 1 l de lait dans lequel on aura délayé la crème de riz.

— Cuire 12 à 15 minutes.

— Ajouter du beurre frais avant de servir.

> La légende rapporte qu'un berger gardant ses chèvres, voyait chaque jour l'une d'elles s'éloigner du troupeau un certain temps et revenir guillerette et enjouée. Il l'a suivit et vit qu'elle mangeait des fruits disposés en grappes. C'est ainsi que l'homme aurait découvert les vertus des pampres sancerrois. Or, il semble bien qu'il n'y a que dans ce beau terroir du très Haut-Berry, que vignes et chèvres se trouvent réunies ; on peut donc penser que c'est le Sancerrois qui fit connaître la vigne dans le « coeur de France ».

CRÈME DE POTIRON AUX HARICOTS BLANCS

350 g de potiron
150 g haricots blancs
1 gousse d'ail
1 l de lait
1 bouquet de cerfeuil
Beurre
Croûtons
Sel, poivre

préparation   **cuisson**

— Faire tremper les haricots la veille de leur cuisson.

— Faire fondre une grosse noix de beurre dans une casserole à fond épais.

— Verser le potiron, préalablement coupé en gros cubes et les haricots. Laisser étuver sur feu doux, couvrir 6 à 7 minutes.

— Mouiller avec 2 grands verres de lait. Ajouter la gousse d'ail pelée, et écrasée avec le plat du couteau. Couvrir et laisser mijoter 1 h sur feu très doux.

— Passer une partie des haricots à la moulinette, remettre dans la casserole avec un peu de lait, de sel et de poivre. Faire bouillir quelques instants.

— Dorer les croûtons et ciseler le cerfeuil.

— Servir bien chaud.

VELOUTÉ DE PATISSON *

Pour 6/8 personnes :
2 beaux patissons
oranges
2 oignons
30 g de beurre
Sel, poivre
1 bouillon cube
1 cuiller de crème fraîche

préparation   **cuisson**

— Peler les oignons, les émincer, les faire revenir dans le beurre tout doucement.

— Pendant ce temps éplucher les patissons (ou artichauts de Jérusalem) les couper en morceaux et les faire revenir 3 minutes avec les oignons déjà colorés. Dès qu'ils sont revenus de tous côtés, ajouter 1 l de bouillon cube, du sel et du poivre.

— Couvrir, cuire à feu doux, 30 minutes.

— Mixer pour obtenir un velouté onctueux (attention s'il y a trop de liquide, en ôter un peu.)

— Ajouter une cuiller de crème fraîche.

Le Patisson orange a plus de goût que le Patisson blanc.
C'est pourtant ce dernier que l'on trouve sur les marchés.

En Berry, depuis 8 ans, à Tranzault, petit village près de la Chatre, on organise le deuxième dimanche d'octobre, une foire aux potirons et légumes oubliés. Le village est décoré de toutes les couleurs. C'est un régal pour l'oeil, pour le palais également car on déguste toutes sortes de spécialités à base de courge, potiron, potimarron, citrouille, etc... et on peut acheter des graines pour les plantations !

GRATINÉE DE POTIRON

Pour 8 personnes :
1 petit potiron (3,5 kg)
3 l de lait
1 grand pot de crème
fraîche
100 g gruyère râpé
250 g de pain rassis
Sel, poivre

préparation   **cuisson**

— Tailler très proprement en couvercle le haut du potiron. Supprimer les fibres et graines de l'intérieur.

— Dessécher au four le pain coupé en cubes. Disposer la moitié dans le fond du potiron, saupoudrer de la moitié du gruyère, saler, poivrer.

— Recommencer l'opération (croûtons/râpé). Mélanger le lait et la crème. Verser dans le potiron.

— Remettre le couvercle, bien clore et cuire pendant 2 h en mettant au four cette soupière improvisée ; pour cuire, envelopper dans du papier aluminium.

— Retirer le couvercle 15 minutes avant la fin de la cuisson pour que la surface soit bien gratinée.

— Pour servir, détacher avec la louche de la chair de potiron et mélanger au jus et à la gratinée.

VELOUTÉ À LA TOMATE *

1 kg de tomates bien
mûres
1 petite boîte de
concentré de tomate
2 gros oignons
3 gousses d'ail
3 tranches de pain de
campagne
1 bouillon cube (volaille)

1 cuil. de sucre en
poudre
3 cuil. d'huile
Persil, cerfeuil, basilic
Sel, poivre

préparation   **cuisson**

— Éplucher, hacher les oignons et les 2 gousses d'ail.

— Faire chauffer 1 cuillerée d'huile dans une cocotte et faire revenir oignons et ail à feu doux.

— Ébouillanter les tomates pour les peler et les couper en quartiers que l'on ajoute aux oignons avec la cuillerée de sucre.

— Verser également le concentré, saler, poivrer. Bien mélanger et laisser revenir 2 à 3 minutes.

— Diluer le bouillon de cube dans de l'eau chaude et verser sur les tomates. Mélanger, laisser cuire à découvert 30 minutes.

— Entre-temps faire chauffer les 2 cuillerées d'huile restantes dans une poêle et mettre le pain à dorer sur les 2 faces.

— Frotter avec la gousse d'ail restante les tranches de pain et les couper en dés.

— Mixer le velouté et filtrer à travers un tamis.

— Verser dans la soupière, parsemer de dés de pain grillés et d'herbes ciselées.

SOUPE AU LARD

250 g de lard salé coupé
en dés
2 carottes
2 oignons
1 petit chou frisé
300 g de haricots de
Soissons
Laurier, thym
Tranches de pain de
campagne

Sel, poivre

préparation   **cuisson**

— Faire tremper les haricots (3 heures environ).

— Dans une cocotte faire revenir le lard, les carottes et oignons émincés, le laurier et le thym. Ajouter 3 l d'eau.

— Nettoyer le chou et couper en lamelles. Plonger dans l'eau avec les haricots. Cuire le tout 3 h environ à feu doux.

— Servir sur des tranches fines de pain de campagne grillé.

COUTUME DE LA *JONÉE*
On appelle ainsi en Berry le grand feu de joie qu'on allume au soir de la Saint-Jean-Baptiste : une perpétuation religieuse de la fête païenne du soleil. Dans nos campagnes, le curé (ou le doyen du village) « boute le feu » au grand tas de fagots dressé sur le lieu le plus éminent des environs.
Dès la première flambée tous les assistants, jeunes et vieux, se prennent par la main et se mettent à danser des rondes chantées en tournant autour du feu. Tandis que la joyeuse farandole s'agite en chantant devant le bûcher, les plus jeunes, les plus lestes ou les plus audacieux se détachent de temps à autre du « rond » et s'élancent à travers les flammes. On dit que cela porte bonheur et que les couples qui sautent le mieux au-dessus du brasier se marieront dans l'année...

SOUPE D'AUTOMNE

1/2 chou vert
400 g de potiron
3 navets
3 pommes de terre
3 carottes
2 tomates
200 g d'haricots verts
200 g d'haricots blancs
(frais en grains)
1 poireau

30 g de beurre
Sel, poivre

préparation   **cuisson**

— Faire blanchir les feuilles de chou (laisser bouillir juste 2 minutes)

— Égoutter, découper en lamelles. Émincer le blanc du poireau.

— Mettre à étuver avec le chou, dans une cocotte, avec le beurre pendant 10 minutes.

— Couper les pommes de terre en dés, ainsi que le potiron.

— Peler, épépiner les tomates et hacher la pulpe.

— Effiler les haricots verts.

— Dans une marmite verser 2 l d'eau, faire bouillir. Verser tous les légumes, saler, poivrer.

— Laisser frémir 1 h à petits bouillons, marmite fermée.

SOUPE À L'ORTIE (ORTUGUE) **

600 g orties tendres
1,5 l d'eau
50 g de beurre
6 cuillers à soupe de
crème fraîche
4 pommes de terre
moyennes
2 oignons
1 gousse d'ail
Sel, poivre, persil

préparation 0^{15} **cuisson** 0^{35}

— Hacher les oignons et faire fondre dans une cocotte avec du beurre.

— Ajouter les feuilles d'orties bien lavées puis les pommes de terre coupées en 4.

— Remuer et cuire 3 minutes environ.

— Verser l'eau, le sel, le poivre et l'ail écrasé. Cuire 30 minutes.

— Mouliner tous les légumes et remettre dans le potage.

— Servir chaud avec de la crème fraîche et des croûtons frits.

LES HERBES DE LA SAINT-JEAN
Elles sont particulièrement efficaces si elles sont cueuillies entre le coucher et le lever du soleil durant la nuit du 23 au 24 juin. Le *lierre terrestre* (feuilles) en infusion, contre le catharre et l'engorgement des poumons ; le *millepertuis* (fleurs) en macération dans l'huile, contre les coupures et les brûlures.

56. **EN BERRY** - Les Contes du Vieux Barger.

SU' LES TRAINES

L'bricolin envec la meunière...
La sarvante et son boun'emi
Ça s'en va, tant que l'mai fleurit
En suivant les gués d'la rivière
Et ça farine un tant si p'tit...

Jean-Louis BONCŒUR.

SOUPE AUX CHATAIGNES **

1 kg de châtaignes
2 gros oignons
1 poireau
2 gousses d'ail
Sel, poivre, brin de céleri

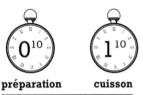

préparation   **cuisson**

— Plonger les châtaignes dans l'eau bouillante une dizaine de minutes pour les éplucher.

— Pendant ce temps, hacher tous les légumes et faire revenir dans du beurre.

— Ajouter l'eau (2 l environ), du sel, du poivre puis les châtaignes.

— Cuire 1 h à feu doux.

— Passer le tout à la moulinette.

— Servir avec des tranches de pain grillées.

> De temps immémorial, en Berry comme ailleurs, on a fauché au « dard » (faulx), fané à la fourche, râtelé « à ranches » (en rangées) au râteau de bois, entassé en « cachons » ou à « muloches » (tas réguliers). Le tout, bien éventé et séché, est, en grande hâte chargé sur les voitures et monté à bras au grenier des étables. La dernière « attelée » est ornée d'un gros bouquet de fleurs des champs : symbole de la fin du travail.

SOUPE À LA CITROUILLE **

1 portion de citrouille
1 l de lait
60 g de beurre
Sel, sucre

préparation   **cuisson**

— Éplucher la citrouille et couper en petits cubes.

— Faire bouillir dans très peu d'eau (1 verre).

— Égoutter, saler, écraser. Arroser de lait jusqu'à la consistance souhaitée.

— Ajouter du beurre, un peu de sucre.

— Faire à nouveau bouillir (très peu) et servir aussitôt avec des croûtons frits.

---

22 JANVIER – SAINT VINCENT
La fête des vignerons
Les jours s'allongent, « A Saint-Vincent, d'un pas d'jement », dit-on en Berry. « Cul d'ours » à La Châtre, « macchabées » ou « yapis » à Reuilly et Issoudun, « pitolas » à Argenton, Saint-Marcel et au Menoux, ou « cacus » en pays sancerrois, les vignerons du Berry célèbrent chaque année, avec éclat, leur saint patron.

SALADES

SALADE BERRICHONNE

Pommes de terre
Pommes reinettes
Vin blanc sec
Céleri rave
Persil, Cerfeuil
Huile, vinaigre
Sel, poivre

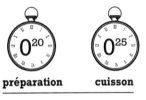

préparation   **cuisson**

— Faire cuire les pommes de terre à l'eau salée.

— Éplucher et couper en rondelles quand elles sont encore chaudes.

— Mettre à mariner dans du vin blanc sec.

— Ajouter les pommes reinettes émincées, du céleri rave taillé en julienne très fine.

— Assaisonner d'huile, vinaigre, persil, cerfeuil hachés. Mélanger avec précaution.

SALADE AUX 3 FROMAGES

1 chèvre moelleux
1 vacherin moelleux
1 brebis moelleux
Cerneaux de noix
Persil, ciboulette

2 cuil. à soupe d'huile
d'olive
1/4 citron vert
Poivre au moulin

préparation

— Couper les fromages en petites tranches rectangulaires.

— Disposer dans un plat.

— Faire une sauce avec l'huile, le citron, le persil haché, la ciboulette ciselée, un peu de poivre.

— Dresser le fromage.

— Décorer de cerneaux de noix.

SALADE DE LENTILLES

préparation

— Cuire les lentilles à l'eau avec oignon et carottes, bouquet garni.

— Bien les égoutter.

— Assaisonner avec une vinaigrette bien relevée de fines herbes et d'un petit oignon haché.

— Servir tiède avec des petits lardons que l'on fait revenir au dernier moment.

24

SALADE PAYSANNE *

Pour 6 personnes :
1 salade frisée
3 pommes de terre
1 morceau d'andouille
2 cuil. d'huile
3 oignons
Vinaigrette avec vinaigre
de vin

préparation

— Faire cuire les pommes de terre avec leur peau.

— Pendant ce temps, bien laver la salade.

— Préparer une vinaigrette à base de vinaigre de vin dans un grand saladier.

— Peler les oignons, les émincer et les faire fondre tout doucement dans l'huile.

— Dès qu'ils sont fondus, ajouter les rondelles d'andouille et faire cuire 5 à 7 minutes afin que l'andouille soit chaude (les rondelles vont se défaire à la cuisson mais cela n'a pas d'importance).

— Émincer la salade sur la vinaigrette.

— Peler les pommes de terre chaudes, les couper en rondelles sur la salade, ajouter les oignons et les morceaux d'andouille.

— Servir chaud.

PISSENLITS AU LARD *

— Trier, laver les pissenlits.

— Faire revenir des petits lardons dans une poêle.

— Pendant ce temps, préparer une vinaigrette avec du vinaigre de vin et de l'huile de noix, une gousse d'ail coupée en petits morceaux, de la moutarde, du sel et du poivre.

— Mettre les pissenlits bien essorés dans la vinaigrette et verser dessus les lardons chauds, mélanger et servir.

SALADE AU FROMAGE DE CHÈVRE FRAIS

1 laitue
1 scarole
4 grosses tomates
400 g fromage de chèvre
frais
1 gousse d'ail

6 cuil. à soupe de câpres
3 cuil. à soupe de
vinaigre de vin rouge
Sel, poivre
Cerfeuil, basilic

préparation

— Nettoyer la salade. Mettre dans un saladier avec les tomates coupées en quartiers.

— Préparer la sauce : piler l'ail au mortier, ajouter le sel, l'huile, le vinaigre. Mélanger. Ajouter les herbes hachées.

— Verser la sauce sur la salade.

— Ajouter le fromage en tranches, les câpres. Mélanger doucement.

— Servir avec du pain grillé.

PETITS FROMAGES À L'HUILE

6 Crottins de Chavignol
1 oignon
4 gousses d'ail
Thym, romarin
2 feuilles de laurier
Poivre en grains
Huile d'olive

— Mettre les fromages dans un grand bocal avec l'oignon émincé, les gousses d'ail entières, les herbes, les grains de poivre.

— Couvrir d'huile.

— Fermer le bocal et garder 8 jours au moins au frais (pas au réfrigérateur).

VARIANTE :

On peut ajouter du basilic, de la sarriette, des grains de poivre vert, de coriandre.

– Servir avec du pain de campagne grillé. On peut les passer sous le gril pour qu'ils commencent à fondre.

– Arroser avec l'huile de macération et parsemer d'herbes fraîches (basilic, estragon, ciboulette), suivant le goût de chacun.

CROTTINS MACÉRÉS *

— Dans un grand bocal, mettre 1 l d'huile de pépins de raisins. Ajouter des feuilles de sauge et 2 à 3 branches de romarin et quelques grains de coriandre.
— Mettre dans le bocal 5 crottins de chèvre frais commençant à sécher et laisser macérer dans le bocal fermé.

Ces crottins se gardent d'une semaine à un mois et s'utilisent avec des tomates en salade ou étalés sur des tranches de pain de campagne et passés au four.

Les érudits ouvrent un débat sur l'origine de la forme pyramidale des excellents fromages de chèvre de Valençay et de Levroux dans l'Indre. Selon les uns, ce serait M. de Talleyrand, maître du chateau de Valençay, et proche voisin de Levroux, qui leur imposa la forme de pyramide tronquée « afin que Napoléon n'y vit jamais une perfide allusion à la mauvaise campagne d'Égypte ». Selon les autres, ce serait, au contraire, ce même Talleyrand qui aurait spécialement fait faire ces fromages pour en offrir au 1er Consul en l'honneur de sa victoire des Pyramides...

ŒUFS

ŒUFS À LA BERRICHONNE

préparation **cuisson**

— Cuire les œufs durs et les pommes de terre à l'eau.

— Couper le tout en rondelles.

— Faire une béchamel. En garnir le fond d'un plat allant au four.

— Disposer une couche de pommes de terre puis une couche d'œufs.

— Remettre de la béchamel, du gruyère râpé, alterner ces couches et terminer par de la béchamel et du râpé.

— Arroser de beurre fondu.

— Mettre au four 20 minutes.

ŒUFS COCOTTE AU FROMAGE

1 œuf par personne
Crème fraîche
Fromage râpé (gruyère)
Sel, poivre, muscade

préparation   **cuisson**

— Beurrer des ramequins individuels.
— Mélanger la crème, le fromage, sel, poivre, muscade.
— Verser une cuillerée de cette préparation dans le ramequin.
— Casser 1 œuf dessus.
— Recouvrir avec une autre cuillerée de la préparation.
— Saupoudrer de gruyère râpé.
— Cuire le tout au bain-marie.

CASSOLETTES D'ŒUFS À L'OSEILLE

6 œufs
6 poignées d'oseille
100 g de crème fraîche
40 g de beurre
Sel, poivre (au moulin)

préparation   **cuisson**

— Faire revenir l'oseille dans du beurre.
— Beurrer un plat allant au four, y répartir l'oseille, casser les œufs dessus, saler, poivrer.
— Couvrir les jaunes d'œufs de crème fraîche.
— Mettre au four 10 à 12 minutes.

ŒUFS « À LA COUILLE D'ÂNE » *

2 œufs par personne
1/2 l de bon vin rouge
1 oignon
1 bouquet garni
Sel, poivre
1 cuil. de farine

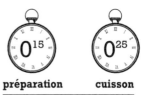

préparation   **cuisson**

— Faire bouillir le vin rouge pendant 10 minutes.

— Émincer finement l'oignon et le faire fondre doucement dans un peu de beurre jusqu'à ce qu'il soit cuit.

— Verser dessus la farine, bien remuer, ajouter le vin rouge (qui a bouilli afin d'être plus digeste).

— Tourner jusqu'à ébullition.

— Saler, poivrer, mettre le bouquet garni et laisser mijoter sur feu très doux, 10 minutes environ.

— Au moment de servir, pocher les œufs dans de l'eau vinaigrée et les mettre ensuite dans un plat chaud dans lequel vous avez versé la sauce au vin.

OMELETTE AUX ÉCREVISSES *

— Faire cuire les écrevisses à l'eau sans assaisonnement.

— Oter les carapaces, les mettre dans une casserole avec du beurre, les faire cuire doucement.

— D'autre part, préparer une omelette selon le mode habituel et glisser les écrevisses chaudes dans l'omelette aux 3/4 cuite.

Opération délicate : il faut châtrer les écrevisses vivantes, c'est-à-dire arracher le boyau de fiel qui se trouve sous la queue.

Georges Sand a rendu célèbre cette recette qu'elle cite dans le Journal intime de Gargilesse à la date du 30 mai 1858 : « Temps magnifique, très chaud, nous déjeunons d'une omelette aux écrevisses dont Manceau s'indigère scandaleusement... C'est un manger digne des plus grands gourmets. »

La plupart des confréries de vignerons de nos paroisses viticoles et les communes environnantes, célèbrent leur saint protecteur, suivant des rites à la fois traditionnels et originaux, soit le jour même de sa fête, soit le dimanche suivant. Leurs membres défilent à l'issue de la grand'messe et de la procession, dans les rues de la cité, précédés d'un orchestre rustique, de la bannière consacrée, et des « porteux » de pain bénit. Le « bâton » enrubanné, surmonté de la statuette du « bon saint », est fièrement porté par le « syndic » qui change chaque année.

OMELETTE AU JAMBON *

2 œufs par personne
1 tranche de jambon du
pays par personne

préparation   **cuisson**

— Poêler de chaque côté les tranches de jambon rapidement. Les réserver au chaud.

— Battre les œufs en omelette, poivrer (ne pas ajouter de sel, le jambon étant souvent fort salé). Les verser dans la poêle où on a fait fondre un petit morceau de beurre au préalable.

— Dès que l'omelette commence à prendre, glisser les tranches de jambon et servir chaud.

> *En Berry, l'omelette était un plat traditionnel comme dans de nombreuses régions rurales, des œufs il y en avait dans chaque ferme et c'était un plat vite cuisiné. On fait aussi l'omelette aux fines herbes, aux oignons, à l'oseille, mais aussi aux lumas (escargots dans le Berry), aux vairons (Gueurlutons frits).*

ŒUFS AU VIN

8 œufs
0,5 l de Pinot rouge
2 oignons
50 g de beurre
1 bouquet garni avec
thym et laurier
Sel, poivre
1 cuil. à soupe de farine

préparation 0¹⁵ **cuisson** 0²⁵

— Émincer les oignons et les cuire à feu doux dans le beurre, ne pas laisser colorer.

— Saupoudrer de farine et bien remuer avec une cuiller en bois, cuire quelques minutes.

— Verser le vin, ajouter le bouquet garni et assaisonner.

— Cuire 10 minutes jusqu'à ce que le liquide soit frémissant.

— Pocher les œufs dans cette sauce et servir aussitôt avec des tranches de pain grillé.

> *Recette transmise par Mme Legros et qui se cuisine avec le vin des Écresselles et la farine «Francine», réalisée au Moulin de la Cour à Reuilly.*

SAUCES

SAUCE BÉCHAMEL

40 g de beurre
40 g de farine
0,5 l de lait
1 dl de crème fraîche
Sel, poivre (muscade
suivant utilisation et goût)

— Dans une casserole, mettre le beurre à fondre.
— Ajouter la farine, remuer au fouet sans laisser colorer.
— Verser le lait sur ce roux en tournant.
— Porter doucement à ébullition sans cesser de remuer.
— Ajouter la crème, cuire 5 minutes.
— Saler, poivrer.

LÉGUMES

POMMES DE TERRE À LA BERRICHONNE

préparation 0^{10} **cuisson** 0^{40}

— Éplucher des pommes de terre de moyenne grosseur.

— Mettre dans une casserole avec du lard coupé en dés, des oignons hachés.

— Faire rissoler au beurre.

— Mouiller avec du bouillon (juste à couvert).

— Ajouter un bouquet garni, saler, poivrer.

— Faire cuire en réduisant de moitié.

— Servir dans un légumier après avoir saupoudré de persil haché.

TOURTE VERTE

Pâte :
300 g de farine
150 g de beurre
1 œuf
Sel
(pour la dorer 1 jaune d'œuf)
Garniture :
1,5 kg d'épinards
500 g vert de blettes

5 œufs
1 bouquet de persil
4 branches estragon
300 g chair à saucisse
150 g jambon cru de campagne
2 oignons
20 g de beurre
1 pincée noix de muscade
Sel, poivre

préparation

cuisson

repos

Préparer la pâte :

— Tamiser la farine et le sel au-dessus d'un saladier. Ajouter le beurre coupé en dés, l'œuf entier. Travailler le tout en ajoutant 1 à 2 cuillerées d'eau si nécessaire. Rouler en boule et laisser reposer 1 h au frais.

— Cuire 3 œufs durs.

— Nettoyer les épinards et les blettes.

— Cuire 5 minutes dans une casserole d'eau bouillante salée.

— Égoutter, presser et hacher.

— Hacher grossièrement le jambon, les oignons, mêler à la chair à saucisse, aux herbes.

— Ajouter les 2 œufs restants. Saler, poivrer, râper de la noix de muscade.

— Prendre un moule à fond amovible. Fariner, étaler les 3/4 de la pâte, en garnir le moule en laissant dépasser.

— Verser la moitié du hachis.

— Écaler les œufs durs et les placer au-dessus de cette préparation. Recouvrir avec le reste de hachis.

— Étaler le reste de la pâte à la dimension du moule et couvrir ce dernier.

— Badigeonner de jaune d'œuf battu avec un peu d'eau.

— Rabattre les bords de pâte inférieure, pincer et souder les 2 épaisseurs de pâte.

— Faire un trou de 1 cm de diamètre au centre du couvercle, maintenir ouvert avec un carton roulé.

— Cuire au four 45 minutes, servir chaud.

LES VINS DU BERRY

Sans être une province particulièrement vinicole, comme sa voisine la Touraine, le Berry peut se targuer d'avoir été néanmoins le berceau du cépage Biturica, joyau de nos ancêtres gallo-romains.

L'épidémie phylloxérique de 1883 diminua considérablement les vignobles et beaucoup de plants ne furent malheureusement pas remplacés. Il n'en est pas moins vrai que les six vignobles berrichons classés dans la zone continentale des Vins de Loire, jouissent d'une excellente réputation.

Ils se répartissent en :

– 2 VDQS (Vin délimité de qualité supérieure) : Valençay et Châteaumeillant.

– 4 AOC (Appellation d'origine contrôlée) : Sancerre, Quincy, Ménetou-Salon et Reuilly.

Ils se distinguent par une prédominance du cépage Sauvignon, dont est issu un excellent vin blanc sec, qui se boit jeune, disposant d'une bonne tenue en bouteille, particulièrement celui de Sancerre.

11. **AU BERRY - Le Facteur.**
Marguerite, allez pas si vite,
Déchirez pas vout' cotillon,
C'est pas un' lettr' de vout' Polyte
C'est un papier d' la porception.

MOUSSE DE CRESSON AU JAMBON

2 bottes de cresson
500 g d'épinards
400 g de jambon
15 cl de crème fraîche
25 g de gélatine

3 cuil. à soupe de
vinaigre à l'estragon
10 cl de porto
Sel, poivre

(Se fait en 2 jours)

— Nettoyer les légumes et ôter les grosses tiges, laver soigneusement.

— Faire fondre 5 minutes à feu doux, en remuant, dans un faitout avec un peu de beurre.

— Bien égoutter et presser dans une passoire.

— Passer au mixer, saler, poivrer.

— Verser le vinaigre, le porto dans une petite casserole, y jeter la gélatine et laisser gonfler quelques minutes, chauffer à feu doux jusqu'à ce qu'elle soit dissoute.

— Oter la couenne et le gras du jambon.

— Passer au mixer, fouetter la crème fraîche.

— Ajouter la purée de jambon à la purée de légumes.

— Verser 4 cuillerées à soupe de gelée au porto dans un moule à cake et laisser prendre 30 minutes au réfrigérateur.

— Ajouter le reste de la gelée à la crème aux purées.

— Mélanger doucement et verser la préparation dans le moule.

— Remettre 12 heures au réfrigérateur.

— Démouler sur un plat à service (tremper le moule quelques minutes à l'eau tiède).

— Servir frais avec une mayonnaise au citron.

39

LENTILLES À LA CRÈME

250 g de lentilles
1 cuil. à soupe de beurre
2 cuil. à soupe de crème
fraîche

Échalote, persil
Sel, poivre

préparation   cuisson

— Faire tremper les lentilles la veille à l'eau froide avec un oignon et du gros sel.

— Les cuire ensuite 2 heures à feu doux.

— Les égoutter, les mettre dans une casserole avec le beurre, un hachis très fin d'échalotes et persil. Saler, poivrer.

— Quelques minutes avant de servir ajouter quelques cuillerées de crème fraîche.

HARICOTS VERTS À LA SAUCE BLANCHE *

— Cuire les haricots verts, les égoutter, préparer une sauce blanche assez liquide avec un morceau de beurre, 3 grosses cuillerées de farine et du lait.

— Ajouter 2 cuillerées de crème fraîche, sel, poivre et mettre les haricots dans cette sauce.

On peut préparer de la même manière des carottes et pommes de terre : c'est excellent.

CHAMPIGNONS DES PRÉS À LA CREME *

préparation   cuisson

— Nettoyer des Roses des prés ou des Coulemelles, les faire suer et cuire dans une poêle avec une goutte d'eau, les égoutter.

— Les champignons ont réduit, les mettre dans une casserole avec du sel et du poivre, de l'ail coupé en tout petits morceaux, du persil et 1 grosse cuillerée de crème fraîche.

— Servir chaud.

GRATIN DE POTIMARRON *

*1 potimarron
Gruyère râpé
Sel, poivre,
Noix de muscade râpée*

préparation   cuisson

— Cuire pendant 3/4 d'heure dans un peu d'eau salée le potimarron épluché et coupé en morceaux.

— Passer la chair cuite au moulin à légumes.

— Mettre dans un plat à gratin avec gruyère râpé, muscade, sel et poivre.

— Laisser gratiner.

— Servir bien chaud en accompagnement d'un rôti de porc par exemple.

POMMES DE TERRE AU FROMAGE BLANC *

Pour 4 personnes :
1 fromage blanc de vache
4 pommes de terre à
chair ferme
1 grosse cuil. de crème

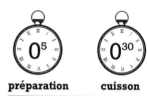

préparation 0^5

cuisson 0^{30}

— Cuire les pommes de terre à l'eau avec leur peau.

— Pendant ce temps, battre le fromage blanc au fouet avec la crème fraîche, saler, poivrer.

— Servir avec les pommes de terre chaudes.

C'était un plat typique servant de dîner à la campagne.

VINS DE CHATEAUMEILLANT
Le vignoble de Châteaumeillant s'étend sur huit communes, quatre dans le Cher : Châteaumeillant, Saint-Maur, Reigny et Vesdun ; quatre dans l'Indre : Urciers, Champillet, Feusines et Néret.
L'encépage présente une certaine homogénéité : 2/3 en Gamay noir à jus blanc, 1/3 en Pinot noir et gris. Le vin produit est soit du vin rosé dit « Vin Gris », renommé pour son coloris vif, son fin bouquet et sa chaleur, soit du vin rouge (environ 1/5 de la production). Le Rouge accompagne les viandes rouges, les œufs au vin, le mouton, le chevreau, les volailles, la gigue de chevreuil, les sautés, le ragoût, le veau. Le Gris : les pâtisseries (les sanciaux, les beugnons, les rousseroles).

PATISSONS SOUFFLÉS

4 petits pâtissons
(1 par personne)
4 œufs
50 g de gruyère râpé
3 dl de lait
3 cuil. de farine
2 cuil. à café de Maïzena
40 g de beurre
Ciboulette
Sel, poivre, cayenne

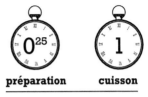

préparation   **cuisson**

— Cuire les pâtissons dans de l'eau froide salée (30 minutes environ).

— Laisser refroidir.

— Découper un large chapeau sur le dessus de chaque pâtisson.

— Évider l'intérieur, garder la pulpe.

— Écraser à la fourchette avec la Maïzena

— Faire une sauce avec le beurre fondu, la farine, le lait froid.

— Remuer sans arrêt jusqu'à ébullition.

— Cuire 3 minutes, retirer du feu et incorporer 1 à 1 les jaunes d'œufs puis le fromage râpé.

— Introduire la pulpe dans cette préparation sel, poivre, cayenne et ciboulette hachée. Bien mélanger.

— Monter les blancs en neige, introduire sans fouetter au reste de la préparation.

— Garnir les pâtissons.

— Beurrer un plat et enfourner 25 à 30 minutes.

GRATIN DE POIREAUX AUX LARDONS

1 kg de poireaux
150 g de poitrine de porc
salée
1 cl d'huile
Sauce béchamel (Voir
recette)

40 g de beurre
40 g de farine
1/2 l de lait
1 dl crème fraîche

préparation   **cuisson**

— Cuire les poireaux 30 minutes dans l'eau bouillante salée.

— Retirer, passer à l'eau froide, égoutter.

— Couper en tronçons assez longs.

— Détailler la poitrine en lardons et faire sauter à feu moyen.

— Préparer une béchamel.

— Dans un plat à gratin beurré verser un peu de béchamel, déposer les poireaux, parsemer de lardons, recouvrir du reste de béchamel et saupoudrer de gruyère râpé.

— Cuire à four moyen 20 mn environ.

Le Berry, surtout celui « d'en bas » (du Sud), est pays d'élevage ; et la récolte de foin pour l'hiver, prend, de ce fait, une importance capitale... Le temps de la fenaison est pénible sous le soleil de la Saint-Jean d'été. Il dure parfois tout le mois de juin, souvent perturbé par les intempéries.

LÉGUMES DE PRINTEMPS À LA CRÈME

1 kg d'asperges
500 g de carottes
nouvelles
20 cl de crème
2 jaunes d'œufs
1 échalote
1 citron

1 cuil. à soupe de fécule
Herbes : cerfeuil,
estragon, persil, hachés
Sel, poivre

préparation

cuisson

— Cuire les asperges (épluchées) et les carottes à la vapeur 3/4 d'heure à 1 h.

— Dans une casserole, mettre 2 louches d'eau chaude, l'échalote et les herbes hachées grossièrement.

— Faire réduire de moitié à feu doux.

— Délayer la fécule dans cette préparation.

— Hors du feu, incorporer la crème en fouettant.

— Ajouter les jaunes d'œufs et jus de citron, saler, poivrer.

— Égoutter les légumes et servir avec cette sauce.

> Jadis, on consommait beaucoup de châtaignes, aujourd'hui c'est terminé à cause de la disparition des châtaigniers. On vendait des châtaignes sur tous les marchés, dans toutes les foires, à Orval, à Saint-Amand où subsiste encore la Place du Marché aux châtaignes, mais les marchands ont disparu.
>
> (Martinat)

FONDS D'ARTICHAUTS AUX GIROLLES

ET AUX TROMPETTES DE LA MORT

4 fonds d'artichauts cuits
à l'eau
200 g de girolles
200 g de trompettes de la
mort
2 échalotes

2 cuil. à soupe de citron
6 cuil. à soupe d'huile de
noix
2 noix de beurre
Sel, poivre

préparation   **cuisson**

— Dans une grande poêle faire fondre le beurre, y jeter les champignons.

— Ajouter les échalotes émincées et laisser cuire jusqu'à évaporation du liquide.

— Saler, poivrer.

— Préparer une sauce avec huile, citron, sel, poivre.

— Dresser les fonds d'artichauts, entourer de champignons et aussi de sauce.

LE PERSOUE (ou pressoir)
servait à extraire le jus des fruits, marc de raisin. Dans les années 1930, le pressoir existait dans chaque commune. Maintenant, il en reste très peu en activité. À cette époque tous les fruits étaient ramassés : pommes, poires qui servaient à faire le cidre. La consommation de cidre était, à l'époque, très importante ; il fallait environ 150 kilos de fruits dont certains étaient beaucoup plus juteux que d'autres.

(Martinat)

CHOU FARCI AU POT AU FEU

1 chou vert
1 livre de restes de pot
au feu (jarret de veau,
côtes de bœuf)
200 g de chair à saucisse
130 g de pain de mie
1 verre de lait
4 oignons

2 œufs
2 gousses d'ail
1 couenne de lard
2 verres de vin blanc sec
Thym, laurier, 1/2 verre
de cognac
Sel, poivre

préparation **cuisson**

— Faire pocher le chou entier 30 minutes à l'eau bouillante.

— Retirer le trognon et le coeur, bien égoutter.

— Préparer la farce : hacher les restes de pot au feu, mélanger à la chair à saucisse.

— Ajouter la mie de pain trempée dans le lait et essorée, les oignons blanchis et hachés, le coeur du chou haché, les œufs. Saler, poivrer.

— Étaler les feuilles de chou vert sur un grand plat, en forme de rosace. Disposer la farce, en la répartissant sur chaque feuille.

— Reconstituer le chou et ficeler.

— Foncer une cocotte avec la couenne, disposer le chou dessus. Ajouter le thym, le laurier, le clou de girofle. Verser le vin.

— Cuire 3 heures, cocotte couverte, à petit feu.

— Arroser régulièrement et rajouter du vin blanc ou du bouillon.

— Au moment de servir, flamber avec le cognac.

47

LÉGUMES SAUTÉS AUX ROSÉS DES PRÉS

200 g de roses des prés
2 carottes
2 navets
1 oignon
1 poireau

1 morceau de céleri-rave
1 tomate
1 gousse d'ail
2 cuil. d'huile
Sel, poivre

 0³⁰

 0⁵

préparation   **cuisson**

— Nettoyer et émincer les champignons.

— Éplucher les légumes, et tailler en fins bâtonnets.

— Peler, épépiner la tomate.

— Chauffer l'huile dans un récipient en fonte.

— Jeter les légumes quand l'huile est bien chaude. Remuer sans arrêt. Cuire 3 minutes.

— Ajouter les champignons sans cesser de remuer, saler, poivrer ; 2 minutes après, tout doit être cuit.

— Servir aussitôt.

Le Quarteron est une ancienne mesure, elle représente le quart de cent. Autrefois les fruits étaient commercialisés de cette manière. Les pommes, les poires, les coings se vendaient de cette façon.

(Martinat)

GALETTES, TARTES SALÉES, BRIOCHES

PÂTE BRISÉE

150 g de farine
75 g de beurre
1 jaune d'œuf
1 pincée de sel

— Dans un saladier, mettre la farine en fontaine.
— Déposer le jaune d'œuf, le sel, le beurre ramolli et l'eau, au centre.
— Mélanger avec les doigts pour obtenir une pâte homogène.
— Laisser reposer 15 à 20 minutes au frais, étaler ensuite.

BRIOCHES AUX POMMES DE TERRE

*300 g de pommes de
terre
60 g de beurre
2 œufs
Sel, farine, sucre vanillé
Marmelade d'orange
Confiture (facultatif)*

préparation   **cuisson**

— Cuire les pommes de terre au four ou à l'eau. Dans ce dernier cas, bien les sécher. Les peler et les broyer jusqu'à les mettre en purée. Ajouter un peu de farine.

— Faire une boule, l'étendre au rouleau. En refaire une boule en la travaillant.

— Y introduire le beurre, un œuf, un peu de sel, 2 paquets de sucre vanillé.

— Quand la pâte paraît bien travaillée et bien ferme, détacher des morceaux de la longueur d'un doigt et donner la forme d'une brioche.

— Ranger ces petites brioches côte à côte sur une tourtière. Les dorer au jaune d'œuf délayé dans un peu d'eau.

— Cuire à feu doux.

— Couper chaque brioche en deux et fourrer de marmelade d'orange.

BRIOCHE SIMPLE

250 g de farine
15 g de levure de
boulanger
125 g de beurre
3 œufs
2 cuil. à soupe de lait
15 g de sucre en poudre
Sel

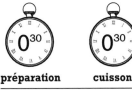

préparation   cuisson

(A préparer la veille)

— Délayer la levure avec 1 cuillerée à soupe de lait.

— Dans un autre récipient, mettre le sucre, le sel, le lait.

— Délayer et incorporer l'huile, la farine et en dernier la levure mélangée au lait.

— Ajouter 3 œufs, bien mélanger. Travailler avec la paume de la main. La pâte doit être lisse. Couvrir d'un linge et laisser reposer 6 heures à température ambiante dans un récipient préalablement fariné.

— Replier plusieurs fois de suite les bords de la pâte vers le centre comme pour le feuilleté.

— Fariner et beurrer un moule à brioche.

— Déposer les 3/4 de la pâte. Laisser gonfler quelques minutes à température ambiante.

— Ajouter le 1/4 restant sur le dessus.

— Dorer au jaune d'œuf battu, enfourner et cuire 30 minutes environ.

BRIOCHE AU FROMAGE DE CHÈVRE

Pour 6 personnes :
350 g de farine
1 pincée de sel
1 paquet de levure
1 à 2 cuil. à soupe de lait
175 g de fromage de chèvre frais ou de fromage blanc bien égoutté

3 œufs battus
Huile pour la jatte
Beurre pour le moule

préparation

cuisson

— Tamiser la farine, le sel et la levure sur le plan de travail en formant un puits au centre.

— Mélanger le lait et le fromage de chèvre ou le fromage blanc, puis les œufs.

— Verser la préparation au centre du puits et malaxer tous les ingrédients en pétrissant bien pour obtenir une pâte souple et élastique.

— Placer la pâte dans une jatte huilée. Couvrir et laisser à température ambiante jusqu'à ce que la pâte ait doublé de volume.

— Pétrir à nouveau. Former une petite boule avec le quart de la pâte. Pétrir le reste en une plus grosse boule.

— Poser la grosse boule dans un moule à brioche beurré et déposer la petite boule par-dessus, au centre, en appuyant, pour la «coller». Laisser reposer jusqu'à ce que la pâte ait encore doublé de volume.

— Mettre la brioche 30 minutes au four (th. 5).

(Recette de Mme Catherine Rabaste)

TARTE AU FROMAGE

Pâte brisée
0,5 l de lait froid
120 g de farine tamisée
50 g de parmesan râpé
50 g de gruyère râpé
2 œufs
1 cuillerée à soupe de
crème

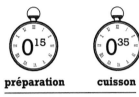

préparation   **cuisson**

— Foncer un plat allant au four avec la pâte brisée.

— Cuire la pâte, laisser refroidir.

— Mélanger tous les ingrédients (farine délayée avec le lait, battre les 2 œufs que l'on ajoute, sel, poivre).

— Ajouter la crème fraîche, les fromages, sel, poivre, garnir la pâte avec cette préparation.

— Cuire à four modéré et servir tiède ou froid.

> La Birette est une sorte de fantôme ou forme blanche. Elle n'est pas méchante, mais elle impressionne celui qui se promène tard la nuit. Le Loubrou est un loup blanc à corps de chèvre. Il se cache près des cimetières et dévore le voyageur égaré. Les Fades ou mauvaises Fées sont souvent à l'origine d'évènements bizarres et inexpliqués, comme la disparition d'un enfant dans son berceau, laissant en échange le monstre qu'elles ont mis au monde.

TARTE AUX POIREAUX

250 g de farine
150 g de beurre frais
3 œufs
8 poireaux
10 cl d'eau
5 g de sel
5 g de sucre
20 cl de crème
Sel, poivre

préparation   **cuisson**

— Préparer la pâte avec la farine dans laquelle on incorpore le beurre en l'écrasant avec la paume de la main.

— Ajouter l'œuf, le sel. Laisser reposer 1 heure.

— Émincer les poireaux en rondelles d'1 cm d'épaisseur.

— Faire sauter dans une poêle avec 50 g de beurre, l'eau et le sucre.

— Saler, poivrer.

— Cuire à feu très doux, 15 minutes (ils ne doivent pas être trop colorés). Laisser refroidir.

— Étirer la pâte, foncer un moule à flan. Disposer les poireaux sur la pâte.

— Arroser avec la crème fraîche fouettée, 2 œufs, poivre concassé.

— Cuire à four chaud durant 30 minutes.

CROUSTADES DE CHAMPIGNONS DES BOIS

400 g de cèpes
300 g de trompettes de la
mort
30 g de beurre
3 dl de crème fraîche
50 g de gruyère râpé
1 échalote
Sel, poivre
Pâte brisée

préparation   cuisson

— Nettoyer et laver les champignons, bien essorer, hacher l'échalote.

— Dans une poêle cuire les champignons (couper les cèpes en quartiers) dans du beurre 10 minutes (feu moyen) en remuant.

— Ajouter l'échalote, 2 minutes environ et incorporer la crème. Saler et poivrer et cuire à nouveau 10 minutes.

— Pendant ce temps poser la pâte et l'étaler sur des moules à tartelettes. Garnir au préalable les moules avec du papier aluminium.

— Remplir les fonds de pâtes avec des noyaux de cerises et cuire 20 minutes (th. 6).

— Retirer les noyaux et remplir les croustades avec les champignons.

— Saupoudrer de gruyère râpé.

— Cuire à nouveau 10 minutes au four.

PÂTÉ DE PÂQUES EN CHAUSSON

Pour 4 personnes :
2 rouleaux de pâte
feuilletée
200 g de farce (moitié
veau, moitié porc)
1 oignon
1 cuil. à soupe de persil
haché

1 œuf entier
4 œufs durs
30 g de beurre
Noix de muscade
Sel, poivre
1 jaune d'œuf et du lait
(pour dorer la pâte)

préparation

cuisson

— Hacher les viandes.

— Éplucher et émincer l'oignon, le faire dorer dans du beurre.

— Ajouter le hachis, sel, poivre et muscade. Couvrir et laisser cuire 15 minutes.

— Ajouter le persil haché et l'œuf entier.

— Pendant ce temps, dérouler les pâtes.

— Dans chacune, détailler avec un emporte-pièce ou une soucoupe, 2 disques de 15 cm de diamètre.

— Sur une moitié de chaque disque, étaler un peu de farce, poser un œuf dur écalé au centre, recouvrir avec l'autre moitié de pâte, coller les bords au blanc d'œuf, les souder hermétiquement avec un couteau.

— Badigeonner le dessus des chaussons avec un jaune d'œuf dilué dans du lait, puis tracer des stries avec la pointe d'un couteau.

— Cuire à four chaud (220°, th. 7) durant 15 minutes.

— Servir à la sortie du four.

> ** Avec les chutes de pâte feuilletée, façonner quelques fleurons pour accompagner une pièce de viande ou des champignons de Paris juste cuits dans de la crème.*

PÂTÉ DE PÂQUES DE CHÂTEAUROUX

Pour 6/8 personnes :
500 à 600 g de pâte
brisée
4 œufs durs
800 g de viande hachée
(2/3 échine de porc, 1/3
noix de veau)
1 gousse d'ail
2 échalotes
Thym, persil, laurier

2 œufs frais
1/2 verre de porto ou de
madère
Sel, poivre, muscade en
poudre

préparation

cuisson

— Étaler la pâte au rouleau en forme de rectangle.

— Partager en 2 (l'une légèrement plus grande que l'autre).

— Dans une terrine mélanger la viande hachée, l'ail, les écha-lotes, le persil également hachés, l'assaisonnement, les her-bes, le porto, lié avec un œuf battu.

— Étaler ce hachis sur la partie la plus grande de la pâte.

— Aligner les derniers œufs durs dans le sens de la longueur, côté plat, en bas. Disposer l'autre morceau de pâte dessus et rabattre, bien fermer tout autour en humectant pour assurer l'étanchéité. Prévoir 2 petites « cheminées » sur le dessus.

— Décorer avec des petites hachures, dorer au jaune d'œuf.

— Cuire à four moyen 1 h environ.

> * Au printemps on remplace le thym et le laurier par des herbes fraîches.

PÂTÉ DE PÂQUES *

(Autre recette)

Farce :
200 g de chair à saucisse
1 oignon
Quelques brins de persil
Un peu de mie de pain
1 grosse cuil. de crème
fraîche
4 œufs durs

Pâte brisée :
300 g de farine
150 g de beurre
1 œuf entier
Eau chaude, sel
1 cuil. d'huile

préparation   **cuisson**

— Faire une pâte brisée avec les produits ci-dessus, la laisser reposer en boule le temps de la préparation de la farce.

— Dans un saladier mettre la chair à saucisse, l'oignon, le persil, la mie de pain mixée. Ajouter la crème fraîche. Bien mélanger.

— Écaler les 4 œufs durs.

— Étendre la pâte sur une tôle, en un grand rectangle.

— Étaler la farce sur une bande de 5 cm de large, puis d'un bord poser les demi œufs durs à intervalles réguliers (1/2 œuf = 1 part de pâté par convive).

— Rabattre la pâte sur la farce et les œufs en soudant à 1 cm les 2 bords.

— Faire une cheminée pour laisser sortir la vapeur, dorer à l'œuf et cuire 30 minutes à four chaud (th. 210).

— Servir chaud en entrée ou froid.

9. AU-BERRY — Les Buveurs

Bois un coup, Sylvain, ça rassur' le sang.
Les gas d'aujourd'hui, c'est ren, i's sont t« souiqnes ».
Mais y en a sûr'ment quatre-vingt au cent
Si i's buvont d' l'iau, c'e;t qu'il ont point d' viqnes.
                                                Hésus Grué.

GÂTEAU DE POMMES DE TERRE **

500 g de pommes de terre
60 g de beurre
200 g de sucre en poudre
1/2 sachet de levure
1 poignée de farine
4 œufs

préparation   **cuisson**

— Cuire les pommes de terre, sans les peler, dans l'eau.

— Mélanger le beurre, le sucre et ajouter les jaunes d'œuf 1 à 1. On obtient une pâte homogène.

— Peler, écraser les pommes de terre.

— Ajouter un peu de farine, la levure, bien travailler.

— Battre les blancs en neige.

— Incorporer le tout à la pâte. Bien mélanger et disposer dans un moule beurré.

— Cuire à four modéré et servir tiède ou froid.

> ** On peut ajouter de la crème fraîche à cette pâte et remplacer le sucre par du miel.*

GALETTE AUX POMMES DE TERRE *

500 g de farine
250 g de beurre mou
1 de pincée gros sel
Eau
1 livre de pommes de
terre
1 fromage de vache bien
égoutté
2 ou 3 cuil. de crème
fraîche épaisse

1 jaune d'œuf

préparation

cuisson

— Faire une pâte brisée avec la farine, le beurre et l'eau.

— L'étaler en rectangle sur une tôle farinée.

— Faire cuire les pommes de terre avec la peau puis les écraser lorsqu'elles sont encore tièdes, à la fourchette ou au moulin à légumes.

— Ajouter le fromage de vache et la crème fraîche, assaisonner.

— Étaler ce mélange sur la pâte brisée, la rouler de façon à ce que le mélange soit bien au milieu puis aplatir au rouleau doucement et coller les bords à l'eau. La galette obtenue a entre 1 cm et 1,5 cm d'épaisseur.

— Dessiner un quadrillé puis dorer au jaune d'œuf.

GALETTE AUX POMMES DE TERRE **

(Autre recette)

200 g de pommes de terre
200 g de farine
100 g de beurre
1 cuil. à café de sel fin
2 œufs

— Cuire les pommes de terre dans de l'eau salée, avec leur peau.

— Les peler puis les écraser lorsqu'elles sont encore chaudes.

— Incorporer le beurre coupé en dés, ajouter l'œuf, sel, farine.

— Pétrir cette pâte puis laisser reposer 1 heure.

— Étendre au rouleau.

— Disposer sur une plaque beurrée.

— Quadriller le dessus au couteau, dorer au jaune d'œuf.

— Cuire 25 minutes et servir chaud ou froid avec de la crème fraîche.

PÂTÉ AUX POMMES DE TERRE *

Pour 8 personnes :
500 g de farine
250 g de beurre mou
Eau
500 g de pommes de
terre
2 oignons
Sel, poivre
4 cuil. de crème fraîche
épaisse

1 jaune d'œuf

0²⁰
préparation

0⁴⁰
cuisson

— Commencer par éplucher oignons et pommes de terre, les émincer finement et les précuire 5 minutes dans une casserole d'eau bouillante.

— Égoutter, laisser refroidir.

— Pendant ce temps, préparer la pâte brisée, l'étaler sur une tôle farinée.

— Mettre les pommes de terre et oignons émincés sur la moitié de la pâte. Saler, poivrer. Ajouter 2 cuillerées de crème fraîche.

— Rabattre la pâte, souder les bords à l'eau, faire une «cheminée» pour faire évacuer la vapeur et dorer à l'œuf.

— Enfourner (210°) pendant environ 40 minutes.

— Au moment de servir, découper le couvercle, ajouter 2 cuillerées de crème restantes et remettre le couvercle.

— Servir chaud en entrée ou le soir en plat unique avec une salade.

PÂTÉ AU POTIRON **

1 petit potiron
1 oignon
1 boule de pâte brisée
1 œuf
1 bouquet de persil
Sel, poivre

préparation   **cuisson**

— Étaler la pâte. Garnir la moitié avec des dés de potiron, des rondelles d'oignons (que l'on a blanchies au préalable et bien égouttées).

— Parsemer de persil haché. Saler, poivrer.

— Replier l'autre moitié de pâte et bien souder les bords avec de l'eau. On obtient un gros chausson.

— Piquer le dessus avec la fourchette. Dorer au jaune d'œuf.

— Cuire 20 minutes à four chaud.

Le Bossio est une ancienne mesure en bois, d'une capacité variable selon les régions. Chez nous, en Berry, sa capacité était de vingt litres. Il existait aussi à la même époque le demi-bossio. Ces anciennes mesures servaient principalement à mesurer les matières sèches, par exemple le grain, les pommes de terre, les fruits, les châtaignes.

(Martinat)

63

QUICHE À LA CITROUILLE *

Pâte :
250 g de farine
125 g de beurre
Sel
Eau

Garniture :
250 g de lardons fumés
1 kg de citrouille
2 c. à soupe de farine
3 œufs
100 g de crème fraîche
Ail, persil, ciboulette

— Peler, épépiner 1 kg de citrouille, couper la chair en dés.

— Les faire cuire avec 1 gousse d'ail pelée et hachée et 2 dl d'eau pendant 20 minutes.

— Passer à la moulinette et battre la purée à la fourchette.

— Incorporer 2 cuillerées à soupe de farine, 3 œufs battus, 100 g de crème. Assaisonner, saler peu.

— Joindre 1 cuillerée à soupe de persil ou de ciboulette hachée.

— Couper 250 g de lard fumé en lardons, les faire blanchir à l'eau bouillante 3 minutes, les sécher.

— Les faire rissoler à la poêle sans matière grasse.

— Étaler la pâte, foncer un moule à tarte beurré, y étaler la préparation au potiron et les lardons.

— Faire cuire à four chaud pendant 30 minutes.

> * Il est possible de remplacer la crème fraîche par du lait et ajouter 100 g de gruyère.

64

LE CITROUILLAT

500 g de citrouille rouge
(épluchée)
500 g de pâte brisée
1 œuf
4 cuil. à soupe de crème
fraîche
Sel

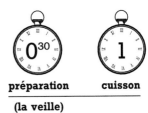

préparation   **cuisson**

(la veille)

— Faire dégorger toute la nuit les morceaux de citrouille légèrement salés.

— Bien égoutter, ensuite éponger.

— Étaler la pâte et découper 2 carrés de taille égale.

— Beurrer une plaque.

— Disposer la citrouille sur un des morceaux de pâte. Étaler la citrouille, couvrir de l'autre fond de pâte, pincer les bouts et « coller ». Dorer à l'œuf.

— Faire une petite cheminée pour libérer la vapeur.

— Cuire à four moyen pendant 1 heure.

— Découper le dessus sur un côté de la tourte et glisser la crème. Agiter, remettre le couvercle.

— Servir chaud.

LE TRUFFIAT (Le Truffiau à Gracay) **

200 g de pommes de
terre
200 g de farine
3 œufs
2 verres de lait
Poitrine fumée (1 tranche)
Beurre, huile
Sel, poivre

préparation   **cuisson**

— Couper la poitrine en lardons et cuire doucement dans du beurre.

— Mélanger par ailleurs, la farine, les œufs entiers, le lait, 1 cuillerée d'huile, du sel et du poivre.

— Ajouter les lardons égouttés.

— Travailler pour obtenir une pâte.

— Râper les pommes de terre épluchées et les ajouter à la pâte.

— Cuire à la poêle ce mélange, sous forme de crêpes (des 2 côtés).

— Servir avec de la salade.

GALETTES AU FROMAGE DE CHÈVRE

1 kg de pommes de terre   Sel, poivre
250 g de fromage de
chèvre frais
1 œuf
1 cuil. à soupe de persil
haché
1 cuil. à soupe de cerfeuil
1 cuil. à soupe de
ciboulette
Beurre/farine (30 g)

préparation   **cuisson**

— Cuire les pommes de terre à l'eau après les avoir pelées.

— Les passer au moulin à légumes (grille fine).

— Incorporer le fromage, les herbes, l'œuf, à la purée, saler poivrer.

— Mélanger pour obtenir une pâte lisse.

— Façonner cette pâte en petites galettes de 8 cm de diamètre et 1 cm d'épaisseur.

— Passer dans la farine, faire dorer à feu doux dans une poêle avec du beurre, 2 à 3 minutes sur chaque face.

Le Cocadrille est un dragon éclos d'un œuf de Jau (Coq en berrichon). La légende raconte qu'une jeune et vertueuse bergère aurait recueilli cet œuf, l'aurait couvé comme une mère. Et lorsque l'œuf eût donné naissance à un horrible dragon, la bergère l'aurait vu comme son propre enfant : le dragon alors se serait métamorphosé en un beau prince et l'aurait épousée.

FRIANDS AU CROTTIN

300 g de pâte feuilletée
6 crottins
Noix de muscade
2 jaunes d'œufs

préparation   **cuisson**

— Étaler la pâte feuilletée et couper en 6 parts égales.
— Sur chaque part déposer un crottin au milieu.
— Râper un peu de noix de muscade.
— Fermer la pâte et dorer le dessus au jaune d'œuf.
— Cuire à four chaud pendant 15 minutes (th. 7).
— Servir avec une salade et un vin blanc de Sancerre.

Le vignoble de Valençay couvre quinze communes, dont le territoire consti-
tue la délimitation de l'appellation d'origine « Valençay ».
Valençay, Fontguenand, La Vernelle, Lye, Villentrois, Paverolles, Veuil,
Luçay-le-Male, Poulaines, Sembleçay, Ménétou-sur-Nahon, Varennes-sur-
Fouzon, Chabris, et débordant sur le Loir-et-Cher : Selles-sur-Cher.
Le choix des cépages qui a été l'objet d'un contrôle sévère se compose en
rouge et rosé :
– Gamay, Beaujolais, Gamay de Chaudenay, Cot (Malbec), Pinot d'Aunis,
Cabernet-Sauvignon, Grolleau.
En blancs :
– Arbois (menu pineau), Sauvignon, Chardonnay, Pineau de la Loire.

CHAMPIGNONS

COULEMELLE

— La coulemelle, appelée en Berry «Potiron», «Potielle», «Cocherelle», «Bonteriau», demande à être cueillie avec précaution car c'est un champignon fragile.

— Il s'agit ensuite de l'équeuter, de la déposer sur un gril, le dessus vers le bas avec un peu de beurre coupé en dés et un hachis d'ail et de persil que l'on glisse entre les lamelles.

Le garçon demande à ses parents la permission de se marier, bien sûr il doit avoir satisfait aux obligations militaires, car un père ne donnera pas sa fille à un homme n'ayant pas fait ses preuves. Le garçon va ensuite chez la jeune fille accompagné d'un beau parleur qui vantera ses mérites après des parents de celle-ci. Ce personnage s'appelle du côté de Saint-Amand «le Menon», vers Saint-Florent-sur-Cher «le Chien-Blanc» et vers Allogny «le Chat bure». Si le futur beau-père offre à ses invités à boire, c'est bon signe! Si la mère fait cuire des œufs, c'est mauvais signe, elle ne veut pas cet homme-là pour sa fille! Mais si elle lui demande de l'aider à tourner la soupe, c'est que le garçon lui convient.

MORILLES À LA CRÈME

300 g de morilles
2 échalotes
70 g de beurre
2 dl de crème épaisse
1 dl de lait
40 g de farine
1 cuil. à café de fond de
veau deshydraté
6 tranches de pain de
campagne

Sel, poivre

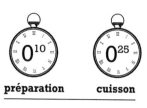

préparation   **cuisson**

— Bien nettoyer les morilles.

— Chauffer 50 g de beurre.

— Ajouter la farine.

— Cuire 5 minutes à feu doux en remuant.

— Mettre le lait, 3 dl d'eau, le fond de veau.

— Bien remuer et porter à ébullition.

— Ajouter la crème. Saler, poivrer.

— Oter du feu. Dans une poêle mettre les 20 g de beurre restant.

— Faire revenir les morilles et l'échalote hachée.

— Verser dans la sauce, cuire encore 2 à 3 minutes.

— Vérifier l'assaisonnement.

— Servir avec du pain de campagne grillé.

RAGOUT DE PIED DE MOUTON

800 g de pied de mouton
250 g jambon de pays
1 oignon
2 échalotes
1 gousse d'ail
2 cuil. à soupe d'huile
1/2 verre de vin blanc
sec
Sel, poivre

préparation   **cuisson**

— Dans une cocotte faire revenir l'oignon et les échalotes finement émincées.

— Ajouter le jambon coupé en dés, remuer, laisser revenir jusqu'à ce que les oignons soient blonds.

— Mettre les champignons (coupés en morceaux si nécessaire).

— Verser le vin blanc, saler, poivrer et laisser cuire 40 minutes à couvert, feu doux.

— Ajouter l'ail haché, 5 minutes avant la fin de la cuisson. (Si nécessaire ajouter un peu d'eau en cours de cuisson).

> Le Diable, qui peut revêtir n'importe quelle apparence, terrorise les Berrichons. Ils parlent de lui en l'appelant « le Malin, Georgeon, le petit Georges... » Ils l'appellent aussi le grand bouvier, lorsqu'ils pensent qu'il se mêle aux vaches dans l'écurie, sous la forme d'un taureau à robe noire, pour porter malheur.

COCKTAIL DE TROMPETTES DE LA MORT

ET DE CHANTERELLES

200 g de trompettes de la mort
100 g de chanterelles
1/4 l de crème
1 noix de beurre
5 cl de vieil armagnac
1 pointe de muscade
Sel, poivre

préparation   **cuisson**

— Nettoyer les champignons et les passer 3 minutes à l'eau bouillante salée. Bien égoutter.

— Faire fondre le beurre dans une sauteuse, y mettre les champignons. Cuire en remuant, quelques minutes.

— Ajouter l'armagnac. Faire flamber. Incorporer la crème fraîche. Bien mélanger. Porter à ébullition et laisser réduire durant 5 minutes.

— Ajouter le sel, le poivre, la muscade.

— Servir dans des cassolettes individuelles.

Les histoires de fantômes sont très fréquentes en Berry. Les retournants sont les âmes de ceux qui n'ont pas obtenu l'entrée au paradis, ils sont ainsi condamnés à errer sur la Terre. Les plus célèbres de ces retournants sont les laveuses de la nuit. On les trouve la nuit près des mares et trous d'eau, lavant à grand bruit leur linge dans les eaux croupissantes. Ce sont en fait des mères infanticides, qui sont condamnées à laver, non pas leur linge, mais le cadavre de leur enfant.

PAIN AUX CHAMPIGNONS

400 g de champignons
frais
180 g de pain de mie
1/4 l de lait
50 g de beurre
3 œufs
Noix de muscade
Sel, poivre

Garniture :
Coulis de tomate
10 cl de crème
1 tomate
1 œuf dur
Persil plat
Champignons entiers

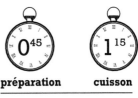

préparation   **cuisson**

— Faire blanchir les champignons de Paris dans de l'eau bouillante salée. Réserver quelques-uns pour la décoration.

— Égoutter et hacher le restant assez finement.

— Faire revenir dans du beurre, saler, poivrer, râper un peu de muscade.

— Tremper la mie de pain rassis dans du lait chaud. Réduire en purée et mélanger aux champignons.

— Laisser refroidir.

— Battre 2 jaunes d'œufs et 1 œuf entier. Ajouter à la préparation.

— Battre les 2 blancs restant en neige. Incorporer délicatement à la préparation. Vérifier l'assaisonnement.

— Verser dans un moule à soufflé beurré.

— Cuire 1 h 15 au bain-marie, four moyen.

— Démouler, arroser d'un coulis de tomates mêlé à de la crème fraîche.

— Décorer avec les œufs durs coupés en quartiers, les champignons frais.

— Servir très frais.

GIBIER

PERDRIX AUX LENTILLES

— Cuire les perdrix bardées, salées, poivrées dans une cocotte avec du beurre.

— Cuire les lentilles dans l'eau avec carottes, oignon, thym, sel, poivre en grains. Bien égoutter.

— Déglacer le jus de cuisson des perdrix avec un peu de vin blanc.

— Verser les lentilles, poser les perdrix.

— Couvrir, laisser cuire 5 minutes, découper et servir chaud.

La Sorcière est souvent une personne connue dans le village. Elle a partagé la vie quotidienne de chacun, avant d'être persécutée. Au fil des saisons, des guérisons inattendues ou des morts inexplicables, elle est devenue forcément suspecte, car elle connaît les plantes bonnes ou mauvaises, on la rend responsable de mauvais sorts lancés, mais après tout, d'où lui vient cette connaissance des secrets de la vie et de la mort?

PÂTÉ DE CHEVREUIL EN CROUTE

Pâte brisée :
500 g de farine
2 œufs
80 g de beurre
2 cuil. à soupe d'huile
Sel
Farce :
1 filet de chevreuil
75 g de pistaches
700 g de chevreuil
désossé
1 oignon

300 g d'échine de porc
Persil/baies de genièvre
1 barde de lard
4 épices, paprika
150 g de lard fumé
2 cuil. de cognac
4 œufs
1 cuil. de madère
1/2 citron non traité
3 dl de bouillon de bœuf
7 feuilles de gélatine

(Se fait sur 2 jours)

— Faire une pâte brisée (Voir recette).

— Peler et hacher l'oignon, faire fondre à feu doux.

— Hacher les viandes, le persil.

— Ajouter toutes les épices, sel, poivre, 3 œufs battus, cognac, baies de genièvre écrasées, zeste de citron.

— Travailler le tout avec les oignons. Ajouter des dés de lard et les pistaches.

— Diviser la pâte en 2, étaler une part et tapisser un moule préalablement fariné. Laisser déborder de 1,5 cm tout autour.

— Garnir le fond avec la moitié du hachis.

— Barder le filet de chevreuil et le placer sur ce hachis, recouvrir avec le reste de la farce et tasser le tout.

— Recouvrir le pâté avec le reste de la pâte. Bien souder les 2 épaisseurs. Dorer à l'œuf battu. Faire un petit trou à chaque extrémité et placer un carton roulé. Cuire 1 h 30 environ.

— Laisser refroidir toute la nuit. Chauffer le bouillon, le vinaigre, le madère dans lequel on ajoute la gélatine. Poivrer. Quand la gélatine est prise, laisser refroidir et verser à l'intérieur du pâté par une des « cheminées ».

— Laisser à nouveau figer jusqu'au lendemain.

CIVET DE LIÈVRE À LA SANCERROISE

1 lièvre
1 tranche de jambon du pays coupée en dés
1 l de Pinot rouge de Sancerre
1 tranche de lard de poitrine coupée en dés
3 oignons
2 gousses d'ail
Bouquet garni

7 grains de poivre noir
7 grains de genièvre
7 grains de clous de girofle
2 cuil. de farine
Sel
Beurre

préparation   **cuisson**

(marinade 24 h)

— Découper le lièvre et mettre à mariner durant 24 heures dans 1 l de Pinot avec les oignons coupés en rondelles, l'ail écrasé, le lard et le jambon coupés en dés, le bouquet garni, les grains de poivre, de genièvre et de girofle.

— Retirer de la marinade, égoutter et faire dorer les morceaux dans 3 cuillerées de beurre.

— Retirer les morceaux, les réserver.

— Ajouter les légumes, le jambon, le lard dans ce jus de cuisson.

— Faire colorer le tout, ajouter 2 cuillerées de farine.

— Faire un roux et mouiller avec le jus de la marinade, peu à peu.

— Remuer jusqu'à l'obtention d'une sauce onctueuse.

— Remettre les morceaux de lièvre dans cette cocotte. Cuire à feu doux pendant 1 h 30.

— Ensuite passer la sauce au tamis, remettre les morceaux de lièvre et continuer à cuire 15 minutes environ.

— Servir aussitôt dans des assiettes chaudes.

PÂTÉ DE FAISAN EN CROUTE

1 faisan
250 g de farine
100 g de beurre
3 œufs
1 barde de lard fine
100 g de jambon du pays
100 g de lard maigre

100 g de lard gras
1 boîte de pelures de
truffes
10 cl de cognac et de
madère
4 épices, sel, poivre

préparation   **cuisson**

(marinade 24 h)

— Garder le foie. Ouvrir le faisan et désosser. Couper en bâtonnets de même que le jambon, le lard.

— Ajouter le foie, les truffes, le cognac, le madère. Couvrir et laisser mariner 24 heures.

— Faire la pâte avec 250 g de farine, 100 g de beurre fondu, 1 œuf. Diluer avec 1 à 2 cuillerées d'eau froide. Rouler en boule et laisser reposer 20 minutes.

— La marinade terminée, retirer les viandes, égoutter. Hacher le lard très fin, ajouter 2 œufs, les épices, sel, poivre et du jus de marinade. Malaxer. On obtient une pâte homogène.

— Étirer les 2/3 de la pâte en rond. Beurrer un moule à fond amovible, garnir avec la pâte qui doit déborder.

— Disposer au fond la barde de lard. Déposer la farce et les lanières de viande. Tasser à la main.

— Chauffer le four. Recouvrir de l'autre moitié de la pâte, rabattre et souder la pâte. Dorer au jaune d'œuf. Faire un trou pour laisser passer la vapeur.

— Cuire 1 h 30 à four moyen en couvrant de papier aluminium.

— Servir chaud ou tiède.

DODINE DE FAISAN AUX NOIX

200 g de veau
200 g de foies de volaille
100 g de lard maigre frais
100 g de lard gras frais
5 cl de cognac
5 cl de porto
20 cl de vin blanc sec
50 cerneaux de noix

1 œuf
2 carottes
1 cuil. à soupe d'huile
14 crépines de porc
1 tablette de bouillon de
volaille
Sel, poivre, 4 épices

préparation   cuisson

— Désosser le faisan. Garder les os.

— Mettre la viande avec le cognac, le porto au frais 24 heures.

— Tremper la crépine à l'eau froide.

— Hacher très fin le veau, les foies, les lards.

— La marinade achevée, ajouter les cerneaux, l'œuf, les épices, le sel, le poivre. Mélanger.

— Bourrer le faisan avec cette farce. Refermer en la modelant.

— Égoutter la crépine. Étaler et enfermer le faisan.

— Chauffer le four (th. 7). Poser la dodine dans une cocotte allant au four avec un peu d'huile que l'on a fait chauffer.

— Faire dorer de tous côtés. Ajouter les oignons en lamelles, les carottes en rondelles, les os de faisan.

— Faire dorer. Mouiller avec le vin blanc et 30 cl d'eau où l'on aura émietté la tablette de bouillon.

— Porter à ébullition sur le feu et glisser au four. Cuire 1 h 30.

* Peut se manger chaud ou froid. Si on la laisse refroidir, mettre 24 heures au frigo après l'avoir arrosée du jus de cuisson.

52. EN BERRY - Les Contes du Vieux Barger.

P'TIT ANGE

Faut nous voir tous les deux quand on s'en va, ensemb'e
Sa p'tite main dans la mien par les soirs de biau temps
Mouétout ébiganché, yelle si mignounne et gente
Qu'on dirait l'père Hiver que chaîne l'tit Printemps.

Jean-Louis BONCŒUR.

ALOUETTES EN COCOTTE

8 alouettes (2 par
personne)
1/2 verre d'huile
50 g de lard gras
2 tranches de jambon du
pays
1/2 verre de vin blanc
sec
1 filet de cognac
1 bouquet de persil plat

Sel, poivre

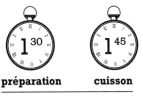

préparation   **cuisson**

— Préparer les alouettes et mettre à dorer quelques minutes dans la cocotte avec un peu d'huile.

— Ajouter le lard haché et le jambon coupé en petits morceaux.

— Remuer, mouiller avec le vin blanc, le cognac, le sel et le poivre.

— Couvrir la cocotte, cuire 10 minutes à feu doux.

— Dresser sur un plat chaud. Parsemer de persil.

Avant le mariage ont lieu les accordailles, le jeune homme courtise sa promise, pendant que les parents et le Menon font le tour des personnes à inviter au mariage. La veille des noces le futur marié et ses camarades viennent chanter devant la porte de la jeune fille pour se la faire ouvrir, en proposant des cadeaux.
Le jour des noces la mariée porte une nouvelle robe de couleur pastel, la robe blanche n'existe pas encore. Au repas de noces on mange, on boit, on danse au son de la vielle et de la cornemuse. La fête pouvait durer plusieurs jours !

BÉCASSES ROTIES

4 bécasses (1 par
personne)
75 g de beurre
4 tranches de pain
épaisses
1 verre de Fine
Champagne
Sel, poivre

préparation   **cuisson**

— Plumer et flamber les bécasses. Ne pas vider. Passer le bec
à travers les cuisses croisées. Saler, poivrer.

— Faire fondre le beurre dans un bol au bain-marie.

— Placer les tranches de pain dans le lèche-frites.

— Embrocher les bécasses. Cuire de 15 à 20 minutes et arroser souvent de beurre fondu.

— Sortir les tranches de pain sur un plat chaud.

— Arroser de Fine Champagne que l'on fait flamber.

— Vider les bécasses. Jeter les gésiers et écraser les entrail-
les à la fourchette avec sel, poivre et un filet de fine champagne.

— Tartiner les rôtis avec cette pâte.

— Poser les bécasses dessus, servir très chaud.

LIÈVRE À LA BROCHE

1 râble de lièvre
1 foie de lièvre
1 bouquet de thym
1 verre d'huile d'olive
1 petit oignon
Sel, poivre

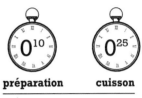

préparation   **cuisson**

— Frotter le râble avec du thym et de l'huile d'olive.

— Cuire à la broche de 20 à 25 minutes en le badigeonnant comme précédemment à l'aide de branchettes de thym trempées dans l'huile.

— À mi-cuisson, faire dorer le foie avec l'oignon haché dans un peu d'huile d'olive.

— Laisser colorer et hacher le foie très finement. Recueillir le jus du lèche-frites. Mélanger avec le foie, l'oignon et servir en même temps que le lièvre.

L'hiver, lors des veillées les vieux racontent souvent des histoires qui font peur aux plus jeunes mais aussi aux plus âgés. Parmi ces histoires, il y a celle qui met en scène le meneur de loup. Ce personnage inquiétant est toujours accompagné d'une horde de loups. Il vient frapper aux chaumières pour se faire nourrir, lui, mais aussi ses loups. Parfois en remerciement, il donne le don de soigner les morsures de loups à qui lui plaît.

TERRINE DE LAPIN DE GARENNE **

1 lapin
1/2 pied de veau
125 g de poitrine de veau
400 g de lard maigre
2 oignons
1 gousse d'ail

1 carotte
1 bouquet garni
Thym, laurier, girofle
Sel, poivre

préparation   **cuisson**

(marinade 24 h)

— Faire une marinade (vin, oignons piqués de 2 clous de girofle, carottes en rondelles, ail écrasé, bouquet garni, huile). Faire bouillir 30 minutes et laisser refroidir.

— Désosser le lapin. Garder le râble et hacher le restant assez finement avec 200 g de lard.

— Mettre ce hachis dans la marinade froide et laisser reposer une nuit.

— Préparer la gelée avec le demi pied de veau, un verre de vin blanc, un bouquet garni, sel, poivre. Faire réduire.

— Pendant ce temps, faire une farce avec le reste de lard, la poitrine de veau, l'œuf, le sel et le poivre. Mélanger.

— Prendre une terrine que l'on barde. Alterner, une couche de râble coupée en lamelles, une de farce et une de hachis mariné.

— Parfumer avec une feuille de laurier et un brin de thym. Couvrir.

— Cuire au bain-marie 1 heure. Arroser de gelée. Remettre au four 1 heure de plus.

— Laisser refroidir et servir frais sans démouler.

LIÈVRE À LA DUCHAMBAIS

1 râble de lièvre
2 échalotes hachées fin
300 ml de crème fraîche
2 cuil. à soupe de
vinaigre de vin blanc
1 cuil. à soupe de bonne
gelée de groseilles
Sel, poivre

préparation   cuisson

— Oter soigneusement la fine membrane qui enveloppe le râble. Placer le râble dans une petite cocotte à peine plus grande que celui-ci. Saupoudrer d'échalotes.

— Mélanger la crème, le vinaigre, le sel, le poivre et verser sur le râble qui doit être entièrement couvert.

— Fermer la cocotte et mettre 1 h à 1 h 30 au four.

— Sortir le râble de la cocotte en égouttant bien les sucs et réserver au chaud sur le plat de service.

— Verser la sauce dans une casserole, incorporer la gelée de groseilles et porter à ébullition en remuant pour obtenir une sauce épaisse et lisse, bien réduite. Rectifier l'assaisonnement et ajouter le jus du râble.

— Couper le râble en fines tranches et servir avec la sauce chaude.

(Recette de Mme Catherine Rabaste)

FAISAN AUX GIROLLES **

1 faisan
500 g de girolles
25 g beurre
2 bardes de lard fumé
2 gousses d'ail
Sel, poivre au moulin

préparation   **cuisson**

— Essuyer les girolles.

— Bourrer le faisan avec la moitié des champignons, saler, poivrer l'intérieur et mettre les gousses d'ail.

— Barder le faisan.

— Cuire 20 minutes au four, en retournant.

— Ajouter le reste de girolles dans le plat de cuisson avec un peu de beurre, finir la cuisson (environ 10 minutes).

— Découper le faisan et servir entouré de champignons.

NOËL : le petit Naulet est né !
On fête la naissance du petit Jésus, en se rendant le 24 décembre à la messe de minuit. Pourtant, avant de partir, on dépose dans l'âtre de la cheminée une grosse bûche qui tiendra jusqu'à quatre jours ! C'est la cosse de Nau. Par déformation du mot, Naulet désignait le petit de Noël. Les cendres de la bûche sont alors précieusement conservées par le maître de maison pendant l'année, elles préservent de l'orage.

VOLAILLE

COQ AU VIN

1 coq (pas trop vieux) ou
un beau poulet de grains
Lardons maigres
1 bouquet garni
250 g de petits oignons
blancs
250 g de champignons de
Paris
1 bouteille de rouge
Valençay

Beurre
1 cuil. de farine
Sel, poivre

 préparation 0¹⁰

 cuisson 0³⁵

— Couper le coq en morceaux.

— Faire revenir les lardons dans un peu de beurre, retirer et mettre les morceaux de coq à dorer, saler, poivrer, ajouter le bouquet garni.

— Ajouter les oignons, les champignons de Paris et faire sauter le tout 5 à 10 minutes.

— Saupoudrer d'une cuillerée de farine et arroser de vin rouge. Bien couvrir le tout. Laisser mijoter 1 heure environ.

— Servir dans un plat chaud.

OIE DE NOËL AUX MARRONS

1 belle oie
1 tranche de lard
Foie de l'oie
Fines herbes
150 g de chair à saucisse
1 petit verre de cognac
Marrons en conserves
Sel, poivre, muscade

préparation   **cuisson**

— Faire une farce en hachant le foie, le lard, les fines herbes.

— Assaisonner avec sel, poivre, noix de muscade râpée. Ajouter le cognac et farcir l'oie avec cette préparation et des marrons. Coudre.

— Cuire au four en arrosant souvent.

— Faire revenir le reste des marrons dans une cocotte avec du beurre. Parsemer de fines herbes.

— Servir l'oie découpée avec une tranche de farce, le tout entouré d'une couronne de marrons.

POULET AUX MORILLES À LA CRÈME

1 poulet moyen
250 g de morilles
Beurre
1 grand verre de crème
fraîche
2 cuil. à soupe de
béchamel
1/2 cuil. à soupe
d'échalotes
1 verre de vin blanc

1 verre de madère
Sel, poivre

préparation

cuisson

— Couper le poulet en 4.

— Cuire au beurre, sans le colorer dans une casserole ouverte. Quand il est presque cuit ajouter le hachis d'échalotes et le vin blanc.

— Par ailleurs, cuire au beurre les morilles, mettre autour du poulet et arroser de madère.

— Cuire 15 minutes.

— Ajouter la crème et verser dans la sauce, très doucement, en tournant (ne pas laisser bouillir). Passer au tamis.

— Servir sur un plat très chaud avec une garniture de croûtons et la sauce en saucière, accompagné d'une purée de marrons.

1er JANVIER : la « bounne année, la bounne santé ! »
Alors que les enfants passent dès le matin du premier jour de l'année pour souhaiter leurs voeux aux voisins, aux parents, ils reçoivent en échange d'une touffe de gui de petites étrennes (pommes, pipes en sucre, bonbons) apportées par le bounoumme Janvier.

LAPIN EN SAUCE COURTE *

1 beau lapin coupé en morceaux
30 g de beurre
1 cuil. d'huile
2 oignons

1 gousse d'ail
Persil, 3 feuilles de menthe
Sauge, thym, romarin

cuisson

— Faire chauffer l'huile et le beurre dans une cocotte et faire dorer les morceaux de lapin.

— Éplucher ail et oignons et hacher au hachoir électrique avec toutes les herbes aromatiques après avoir oté les tiges de thym, de persil et de sauge bien sûr.

— Couvrir les morceaux de lapin de ce hachis d'oignons et d'herbes, saler, poivrer, ajouter un verre d'eau et laisser cuire en vérifiant qu'il reste de la sauce, s'il en manque rajouter un peu d'eau.

---

6 JANVIER : Fête de l'Épiphanie
Dans les familles berrichonnes, l'aîné des convives préside le souper de l'Épiphanie. Lorsque le moment est venu de couper le « gâteau des Rois », il fait placer sous la table le plus jeune, et l'interpelle ainsi :
– Phèbe (concentration du mot latin Éphebe : jeune homme).
– Domine, répond l'enfant.
– La part à qui ?
A chaque question, il indique un convive, sans oublier de désigner la « part à Dieu » destinée à un parent absent ou à un pauvre. Le Roi de hasard ayant trouvé la fève, désigne alors sa reine en jetant le petit sujet dans le verre d'une de ses voisines de table.

POULET AU SANG

OU POULET EN BARBOUILLE *

1 à

1 30

cuisson

1 beau poulet
Le sang du poulet
recueilli dans un bol avec
un peu de vinaigre pour
éviter la coagulation
1 morceau de beurre
Lardons
2 grosses cuil. de farine
2 oignons
2 carottes

1 bouquet garni
Sel, poivre
50 g de crème fraîche
1 jaune d'œuf

— Couper le poulet en morceaux et faire revenir les morceaux dans du beurre avec les oignons émincés, les lardons, les carottes coupées en rondelles.

— Une fois les morceaux de viande revenus, saupoudrer de farine, mouiller avec 1 verre d'eau ou 2 suivant la quantité, saler, poivrer.

— Laisser cuire 1 h à 1 h 30 selon l'âge de la volaille.

— Mettre les morceaux sur un plat chaud. Mélanger dans un bol le sang de poulet, le jaune d'œuf et la crème fraîche. Faire chauffer le mélange dans un récipient de cuisson tout doucement (attention cette sauce ne doit pas bouillir).

— Napper de cette sauce les morceaux de poulet et servir aussitôt.

C'est également très bon réchauffé, mais il faut toujours prendre soin de ne pas faire bouillir la sauce.

PINTADE AU CHOU *

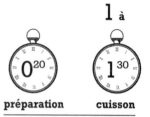

Pour 4 à 5 personnes :	3 oignons
1 pintade	Thym, laurier
Matière grasse	Sel, poivre
1 gros chou	1 verre de vin blanc
3 carottes	

1 à

0²⁰   1³⁰

préparation   **cuisson**

— Parer le chou en ôtant le trognon, les grosses côtes et faire blanchir 10 minutes environ dans l'eau bouillante salée.

— Éplucher carottes et oignons, et couper en rondelles ou émincer.

— Faire chauffer un peu de matière grasse dans une grande cocotte (saindoux ou huile + beurre) et faire revenir carottes et oignons pour les colorer.

— Égoutter le chou, ôter les carottes et les oignons. Mettre à la place les feuilles de chou, intercaler les carottes et les oignons, saler, poivrer, ajouter quelques brins de thym et de laurier.

— Mouiller à hauteur avec de l'eau chaude et laisser cuire environ 1 heure.

— Dans une autre cocotte, faire revenir dans de la matière grasse la pintade. Lorsqu'elle est dorée, saler, poivrer, verser un peu de vin blanc et laisser cuire environ 40 minutes.

— Lorsqu'elle est cuite, la découper et placer les morceaux sur le chou, dans la cocotte de cuisson, ajouter un peu de jus de la pintade et terminer la cuisson sur feu doux.

— Servir chaud.

CANARD AUX NAVETS *

1 beau canard
1 kg de navets ronds
Matière grasse
1 oignon

préparation **cuisson**

— Éplucher les navets, les faire cuire dans de l'eau bouillante salée jusqu'à ce qu'ils soient bien tendres sous la lame du couteau.

— Mettre le canard à four chaud (th. 210) après l'avoir badigeonné d'huile et avec l'oignon et un peu d'eau au fond du plat avec du sel et du poivre. Arroser avec le jus de cuisson (rajouter un peu d'eau si besoin) toutes les 10 minutes environ. Lorsque le canard est cuit, le découper et mettre dans un plat chaud.

— Égoutter les navets, les remettre dans une casserole avec le jus de cuisson du canard, saler, poivrer. Faire chauffer et servir en accompagnement du canard.

3 FÉVRIER : Fête des laboureurs : la Saint-Blaise
A leur tour, les paysans qui terminent les labours dans les champs offrent une procession et une messe à leur saint, qui ne manquera de protéger le grain et de faire grossir la moisson.

POULE AU BLANC *

1 carotte
1 oignon piqué de clous
de girofle
1 bouquet garni
50 g de beurre
50 g de farine
1 petit pot de crème
fraîche

— Faire cuire la poule en pot au feu pendant 2 à 3 heures.

— Préparer la sauce d'accompagnement.

— Faire un roux blond. Le délayer avec un peu de bouillon de cuisson de la poule selon la quantité de sauce désirée.

— Laisser épaissir doucement. Ajouter la crème fraîche.

— Servir avec la poule découpée en morceaux et du riz ou des pommes vapeur.

---

22 JANVIER : Fête des vignerons « A la Saint-Vincent, le vin monte du sarment ».
C'est la Saint-Vincent, saint protecteur des vins et des vignes, qui, lorsqu'il est fêté par une procession et une messe, s'engage à rendre la récolte meilleure. À Saint-Ammand, les « Yapis » fêtent encore aujourd'hui leur saint patron, le premier dimanche de mai.

TERRINE DE LAPIN BERRICHONNE

cuisson

1 jarret de veau
1/2 pied de veau
1 beau lapin
Vin blanc sec
Oignon, ail, thym, laurier, carottes
Farce :
Foie du lapin

125 g de jambon
125 g de porc
125 g de lard gras
1 petit verre de Fine champagne
1 œuf
Sel, poivre, muscade

— Faire mariner le lapin entier 24 heures dans une marinade au vin blanc sec, agrémenté de carottes coupées en rondelles, d'un bel oignon émincé, de 3 gousses d'ail écrasées, d'une feuille de laurier et de 2 brins de thym.

— Le tourner plusieurs fois.

— Faire une farce avec le foie, le jambon, le porc, le lard (hacher assez fin). Ajouter l'œuf, la Fine Champagne, les épices.

— Bourrer le lapin égoutté avec cette farce (bien ouvrir le thorax, rabattre l'abdomen en coupant en 2 le lapin transversalement au thorax).

— Ficeler solidement le lapin, plié en 2. Mettre dans une sauteuse avec un peu d'huile, faire dorer légèrement en ajoutant un petit jarret et 1/2 pied de veau.

— Arroser avec la marinade, ajouter la Fine Champagne. Couvrir. Cuire 2 heures à feu doux.

— Retirer les viandes et les désosser, déposer les 2 grandes lamelles, en alternant, dans une terrine. Tasser.

— Filtrer le jus de cuisson et recouvrir les viandes.

— Mettre 24 heures au frais et servir.

FRITOTS DE DINDE AUX ÉPINARDS

6 escalopes de dindes
350 g d'épinards
2 citrons
3 à 4 brins de persil, de
coriandre
3 œufs
150 g de farine
50 g de beurre
Chapelure
Curry, sel, poivre

préparation 0^{40} **cuisson** 2

— Bien nettoyer les épinards, les herbes. Les essorer.

— Cuire à découvert 3 à 4 minutes en remuant souvent, dans un peu d'huile.

— Mettre une pointe de curry. Saler, poivrer les escalopes de dinde et les garnir de ces herbes tièdes.

— Rouler et ficeler.

— Battre les œufs. Tremper successivement les escalopes dans la farine, les œufs, terminer par la chapelure.

— Cuire dans une friteuse (huile brûlante). Faire frire de 7 à 8 minutes.

— Égoutter. Servir chaud avec des tranches de citron, sur un lit de salade et des brins de persil frais.

TERRINE RUSTIQUE AUX FOIES DE VOLAILLE

500 g de foies de volaille
200 g de porc maigre
150 g de lard fumé
100 g de lard gras
2 tranches de pain de mie
2 œufs
2 échalotes
1 barde de lard

1 gousse d'ail
2 cuil. à soupe de crème
fraîche
10 cl de porto
3 cuil. à soupe de cognac
Thym, laurier, 4 épices
Sel, poivre

préparation

cuisson

(6 h au frais en début de prép. 24 h au réfrigérateur en fin de prép.)

— Nettoyer les foies, séparer les lobes, arroser de porto, poudrer de thym et laisser 6 heures au frais.

— Couper le porc en cubes, le lard. Mettre dans une jatte, arroser de cognac et laisser au frais 6 heures.

— Par la suite, égoutter les viandes. Émietter le pain de mie dans le porto et cognac des marinades.

— Hacher l'ail et les échalotes très fin, hacher aussi la moitié des foies, le lard.

— Méler ce hachis au précédent et à la mie de pain. Ajouter la crème, les œufs, les 4 épices. Bien malaxer le tout.

— Chauffer le four (th. 5).

— Prendre une terrine, tapisser les parois avec le lard.

— Verser la moitié de cette farce, enfoncer les foies entiers restants. Recouvrir avec le reste de la farce. Tasser à la main.

— Poser dessus du thym et du laurier. Couvrir la terrine et cuire 1 h 15 au four au bain marie.

— Vérifier la cuisson.

— Sortir du four, découvrir, laisser reposer 15 minutes. Poser une planchette et un poids.

— Laisser refroidir et garder 24 heures au réfrigérateur.

TERRINE DE LAPIN AUX NOISETTES

Râble et cuisses d'un
lapin
200 g de foie de volaille
Foie du lapin
250 g de chair à saucisse
1 branche de thym
25 cl de vin blanc
Laurier
10 cl de cognac

Herbes de Provence
3 cuil. à soupe de porto
Sel, poivre en grains
100 g de noisettes
décortiquées
2 œufs
2 oignons
2 bardes de lard

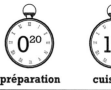

préparation **cuisson**

— Désosser le lapin, couper en bâtonnets.

— Mettre dans une jatte avec les foies de volaille, de lapin, les oignons coupés en lamelles, thym, laurier. Arroser de cognac, de vin blanc.

— Laisser mariner 24 heures au réfrigérateur.

— Passer ensuite les foies au mixer, mélanger à la chair à saucisse avec les herbes, les noisettes, le porto. Saler.

— Chauffer le four.

— Barder une terrine. Égoutter le lapin. Réserver.

— Filtrer la marinade, ajouter les œufs battus, la chair à saucisse et les foies.

— Mettre la moitié de cette préparation dans la terrine, poser ensuite les morceaux de lapin. Recouvrir du reste de la farce et d'une barde. Fermer la terrine.

— Cuire 1 h 30 au bain-marie.

— Sortir du four. Laisser reposer 15 minutes. Poser dessus une planchette, un poids et laisser refroidir.

— Garder 24 heures au réfrigérateur avant de servir.

8. AU BERRY - Les vieux.

Nos membr's sont froids, nos corps sont raides,
On r'gard' la ch'minée, un d' chaqu' bout.
Quand qu'on s'arleuve, i' faut que j' t'aide,
C'est pas sans mal qu'on s'armet d'bout.
Tu prends ta canne et moi la mienne.
On fait queuqu's pas, ça va ben mieux.
On s' sourit pour cacher sa peine,
Douc'ment tu m' dis : « Allons, mon vieux! »

Jules Gilbert.

MOUSSE DE FOIES DE VOLAILLE

500 g de foie de volaille
250 g d'oignons
30 cl de porto
20 cl de crème fraîche
épaisse
1 feuille de laurier

1 gousse d'ail
Thym
1 cuil. de gelée
instantanée
Sel, poivre

préparation **cuisson**

— Nettoyer les foies, ôter les parties verdâtres, les nerfs. Rincer. Éponger.

— Mettre dans une jatte avec l'ail, le laurier, le thym. Arroser de porto. Couvrir.

— Laisser mariner 12 heures au réfrigérateur.

— Ensuite égoutter les foies.

— Filtrer la marinade. Verser dans une casserole. Porter à ébullition, y jeter les foies et laisser frémir 5 minutes.

— Retirer les foies.

— Mettre les oignons émincés et laisser bouillir 30 minutes jusqu'à réduction du liquide.

— Passer les foies au mixer, ajouter les oignons, mixer à nouveau.

— Fouetter la crème qui doit devenir solide, incorporer aux foies. Saler, poivrer.

— Verser dans une terrine, tasser, laisser refroidir 1 heure au moins au réfrigérateur.

— Délayer la gelée dans 20 cl d'eau. Verser dans la mousse.

— Remettre 4 heures au moins au réfrigérateur.

LAPIN AUX PETITS OIGNONS

1 lapin coupé en
morceaux
250 g d'oignons blancs
3 échalotes
3 verres vin blanc sec
Bouquet garni
1/2 citron
20 g de beurre
1 cuil. à café de farine

préparation   **cuisson**

— Hacher les échalotes. Faire revenir avec les petits oignons, les morceaux de lapin dans du beurre mousseux durant 10 minutes.

— Retirer du feu. Faire un roux blond dans le jus de cuisson avec un peu de farine et ajouter peu à peu le vin blanc.

— Porter à ébullition en remuant. Remettre les morceaux de lapin, les oignons, le bouquet garni, le sel, le poivre et laisser mijoter 1 heure.

— Lier la sauce avec de la crème. Ajouter un filet de citron.

— Servir chaud.

1ᵉʳ DIMANCHE DE CARÊME sonnait le jour des Brandelons. Les jeunesses farandolaient par les champs en *brandillant* des torches de paille afin d'éloigner les mulots de la contrée et de détruire les mauvaises herbes des récoltes prochaines. Au retour, ça chantait, ça gambillait et ça riait. On dévorait à belles dents la traditionnelle galette des Brandons et les Crâpiaux.

CIVET RABOLIOT **

1 lapin d'1,5 kg (garder le sang et le foie)
100 g de lard maigre
100 g de champignons de Paris
20 petits oignons (grelots)
1 cuil. de vinaigre d'Orléans
Sel, poivre, farine
Marinade :

75 cl de vin rouge (Valençay)
1 gros oignon
1 carotte
1 gousse d'ail
1 bouquet garni
1 verre à liqueur d'Eau de Vie
2 cuil. à soupe d'huile
Sel, poivre

préparation 0²⁰

cuisson 1¹⁰

— Couper le lapin en morceaux et plonger dans la marinade. Laisser toute une nuit au frais.

— Le lendemain égoutter les morceaux.

— Fariner légèrement, faire revenir dans une cocotte avec les lardons puis ajouter les petits oignons et les champignons coupés en lamelles.

— Filtrer le jus de la marinade.

— Chauffer et verser bouillant sur le lapin.

— Couvrir, cuire 1 h 30 à feu doux.

— Ajouter le sang et remuer vivement, mettre le foie qui aura cuit doucement dans du beurre.

— Laisser encore cuire 1 heure puis dresser sur un plat chaud et servir avec des croûtons.

POULE EN DAUBE **

1 poule grasse
500 g d'oignons
250 g d'échine de porc
hachée
1 barde de lard
1 pied de veau
1 bouquet garni
Sel, poivre, persil

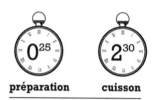

préparation   **cuisson**

— Couper les oignons en rondelles.

— Hacher le porc, le persil, saler, poivrer.

— Désosser la poule et débiter en lamelles.

— Dans une terrine, mettre au fond une couche d'oignons, une couche de farce, une couche de poule, sel, poivre et recommencer cette opération. Terminer par une couche de poule. Placer la barde de lard sur le dessus. Couvrir et fermer la terrine avec une pâte (farine + eau).

— Cuire au four 1 h 30.

— Pendant ce temps, faire bouillir les os de poule avec le pied de veau, un bouquet garni, sel et poivre.

— Lorsque la poule est cuite, ôter la pâte, soulever le couvercle et verser dessus le bouillon qui a servi à cuire le pied de veau.

— Laisser refroidir pour que la gelée se forme.

— Servir avec des cornichons.

PINTADE AU REUILLY **

1 pintade
1 livre de raisins blancs
2 tranches de jambon du pays
5 petits oignons
1 verre de vin blanc sec (Reuilly)
1 verre de bouillon de volaille
1 verre d'Eau de Vie

150 g de noisettes
Sel, poivre

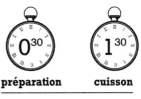

préparation 0³⁰   **cuisson** 1³⁰

— Écaler les noisettes et mettre à macérer dans l'Eau de Vie (1 h environ).

— Hacher très fin le jambon, le foie, le gésier de la pintade, saler poivrer et faire revenir au beurre.

— Retirer du feu, laisser refroidir.

— Ajouter les noisettes et garnir la pintade de cette farce. Coudre.

— Faire revenir dans une cocotte avec un peu de beurre et d'huile. Ajouter les oignons, le poivre moulu. Laisser dorer le tout puis verser le vin, le bouillon.

— Couvrir et laisser mijoter 1 heure en arrosant souvent la pintade.

— Ajouter alors des grains de raisins entiers. Laisser mijoter à nouveau 15 minutes.

— Retirer la pintade, découper avec le hachis. Entourer de raisins et napper le tout avec la sauce.

POISSONS

TRUITES À LA CRÈME

1 truite par personne
2 c. à soupe de crème
Farine
Sel, poivre, persil

préparation   **cuisson**

— Nettoyer les truites.
— Les rouler dans la farine et les faire frire au beurre.
— Les servir chaudes accompagnées de la sauce suivante :
— Faire un roux blanc dans lequel on fait frire un peu de persil.
— Ajouter 2 cuillerées à soupe de crème.
— Saler, poivrer.
— Tourner pour bien lier.
— Verser sur les truites chaudes.

102

CARPE FARCIE **

Carpe (environ 1 kg)
4 gousses d'ail
5 ou 6 brins de persil plat
1 échalote
2 jaunes d'œufs cuits durs
100 g de lard maigre
1/2 verre de vin blanc
Sel, poivre, beurre

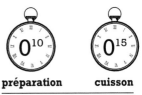

préparation 0^{10} **cuisson** 0^{15}

— Écailler, vider, laver la carpe, essuyer.
— Faire un hachis avec ail, persil, échalote, jaune d'œuf, lard. Assaisonner.
— Garnir la carpe de ce hachis. Coudre.
— Enfourner la carpe, déposée dans un plat avec un petit morceau de beurre, 1/2 verre d'eau et 1/2 verre de vin.
— Arroser régulièrement et retourner comme pour un rôti (2 h).

Le vignoble de Quincy se situe entre Bourges et Vierzon, principalement sur la rive gauche du Cher. Son origine est très ancienne. Déjà au XIIe siècle, les moines bénédictins de l'Abbaye de Beauvoir cultivaient la vigne sur un coteau quinçois, nommé Villalin. Le cépage est uniquement le Sauvignon. Le Blanc accompagne les hors-d'oeuvres, poissons, œufs, bisques, coquillages, crustacés, charcuterie, veau, andouillette, tripes, gras double, escargots, boudin blanc, fromages frais.

CARPE FARCIE

(Autre recette)

Carpe de 1,5 kg vidée
700 g de farce de porc
1 tranche de mie de pain
4 échalotes
250 g de girolles ou
mousserons
1 carotte
1 oignon
1 bouquet garni
1 bouquet de ciboulette

2 œufs
1 petit verre de marc
1 verre de vin blanc sec
Sel, poivre

préparation

cuisson

— Dans une terrine mélanger la farce fine avec le pain émietté, les échalotes hachées avec les champignons (assez grossièrement), la ciboulette ciselée.

— Ajouter 1 œuf et le Marc. Mélanger le tout et remplir la carpe. Recoudre. Ficeler sans serrer.

— Dans un plat à rôti mettre les carottes et l'oignon coupés en lamelles. Verser 2 cuillerées à soupe d'huile, 1 verre de vin blanc sec, le bouquet garni.

— Poser la carpe sur cette préparation et couvrir à moitié avec du court-bouillon (préparé en instantané).

— Cuire 60 minutes à four chaud, en arrosant souvent.

— Sortir le poisson délicatement. Oter les ficelles. Couvrir avec du papier aluminium.

— Filtrer le jus de cuisson, ajouter un jaune d'œuf hors du feu. Fouetter vivement, saler, poivrer.

— Servir en saucière pour accompagner le poisson.

FILET DE CARPE AU REUILLY

Pour 4 personnes :
4 filets de carpe
150 g de chair à saucisse
150 g de champignons de
Paris
2 échalotes
1 cuillerée à soupe de
persil haché
2 grosses pommes de
terre

80 g beurre
1 bouteille de Reuilly
1 bouquet garni
1 œuf
1 carotte
1 oignon
Sel et poivre
Ciboulette

0^{30} à

0^{30}
préparation

1
cuisson

— Cuire les pommes de terre au four dans leur robe, de 35 à 45 minutes.

— Les couper en deux, écraser la pulpe à la fourchette avec une noix de beurre.

— Mélanger avec la chair à saucisse, les champignons en petits cubes et les échalotes émincées.

— Ajouter l'œuf entier et le persil. Étaler cette préparation sur toute la longueur des filets de carpe, à 1 cm des bords puis les rouler.

— Les maintenir fermés en cousant les bords ou avec des bâtonnets de bois.

— Porter le vin à ébullition sur feu vif avec bouquet garni, carotte et oignons émincés.

— Laisser cuire 5 minutes puis verser dans un plat à gratin. Ajouter les filets de carpe, cuire 30 minutes à four chaud (220°, th. 7) en arrosant régulièrement.

— Retirer les filets du plat, les réserver au chaud. Reverser le vin dans la casserole en le filtrant. Porter à ébullition, ajouter le reste du beurre au fur et à mesure tout en fouettant vivement.

— Napper les filets avec cette sauce. Parsemer de ciboulette ciselée.

— Accompagner de croûtons frits à l'huile.

CARPE EN GELÉE

1 grosse carpe
1 cuil. de farine
1 verre de vin blanc
6 oignons et 6 échalotes
Bouquet garni
1 cuil. à soupe de persil
haché
2 gousses d'ail
Sel, poivre

préparation   **cuisson**

**(24 h marinade
1 h au réfrigérateur)**

— Écailler, vider, laver une belle carpe. Éponger. Couper en tronçons, les mettre dans un plat en terre avec le hachis d'ail, oignons, sel, poivre, bouquet garni, 1 verre de vin blanc.

— Laisser mariner 24 heures au frais.

— Faire revenir avec de l'huile d'olive, les échalotes hachées et un oignon émincé.

— Ajouter 1 cuillerée de farine. Remuer, mettre un peu d'eau.

— À l'ébullition, ajouter la carpe et la marinade.

— Cuire 40 minutes environ.

— Sortir la carpe, la poser dans un plat de service.

— Faire réduire le bouillon en ajoutant le persil haché fin.

— Verser le tout sur la carpe.

— Mettre au réfrigérateur 2 heures.

BROCHET AU REUILLY

1 beau brochet (1,2 kg
environ)
100 g de beurre
3 tomates
1/2 bouteille de Reuilly
5 ou 6 échalotes
1 cuil. à soupe de persil
Sel, poivre, citron

préparation

cuisson

— Beurrer un plat à gratin et éparpiller dessus des échalotes émincées.

— Verser le vin, ajouter les tomates coupées en tranches.

— Placer le brochet incisé au milieu du plat.

— Saler, poivrer. Mettre au four, arroser souvent et cuire 30 minutes environ.

— Retirer, dresser sur un plat chaud. Ajouter le reste du beurre à la sauce sans laisser bouillir. Napper de cette sauce en la tamisant. Décorer de rondelles de citron et persil haché.

MARDI GRAS : Carnaval et Bœuf Villé.
Encore l'occasion d'une fête (bal masqué, repas, farandoles masquées) où tout est permis, les enfants et les adolescents se costument et provoquent les habitants des communes voisines. On remarque que les repas sont copieux, beaucoup plus qu'à l'ordinaire : « Mardi gras, t'en va pas, j'f'rons des crêpes et t'en mang'ras !!! »

BROCHET AU SAUVIGNON DE REUILLY

(Autre recette)

1 brochet
2 carottes
1 oignon
2 œufs
Beurre
Crème fraîche
1 bouteille de Sauvignon

préparation   **cuisson**

— Émincer finement l'oignon.

— Couper les carottes en rondelles.

— Disposer les légumes dans un plat à gratin et poser le brochet dessus. Parsemer de petits morceaux de beurre. Verser le vin sur le poisson (Bouteille de Sauvignon de Reuilly de la Raie ou des sablons).

— Saler, poivrer, parsemer de persil haché.

— cuire 1/2 heure environ en couvrant le plat d'un papier sulfurisé.

— Pendant ce temps préparer un roux avec 1 cuillerée de beurre fondu, 1 cuillerée de farine et du vin servant à la cuisson du brochet. Laisser épaissir en tournant.

— Disposer le brochet sur un plat chaud et conserver au four.

— Ajouter la crème, le roux au jus de cuisson, réchauffer et lier hors du feu avec un jaune d'œuf, un jus de citron.

— Étaler la sauce sur le brochet et décorer de persil haché et d'un jaune d'œuf dur découpé en petits morceaux.

(Recette transmise par Mme Legros)

CARPE GRILLÉE **

— Ciseler la carpe en quadrillé.
— Badigeonner la carpe d'huile et poser sur le gril chaud.
— Retourner (15 mn environ de cuisson par 500 g).
— Saler. Servir avec un beurre fondu.

ANGUILLES À LA BERRICHONNE **

1 grosse anguille
Vinaigre de vin
Huile de noix
Sel, poivre, herbes

préparation   cuisson

— Frotter l'anguille avec un torchon recouvert de gros sel ou de cendre.
— Laver, éponger, couper en tronçons après l'avoir vidée.
— Faire griller en tournant sur toutes les faces. Saler, poivrer.
— Servir avec une vinaigrette aux fines herbes.

CARPE AU VIN ROUGE À L'ÉTUVÉE *

Une carpe de 2 livres environ
2 bons verres de vin rouge
1/2 verre d'eau
1 bouquet garni

Sel, poivre
Une douzaine de petits oignons
1 gousse d'ail
50 g de farine
30 g de beurre

préparation 0¹⁵   **cuisson** 0²⁰

— Écailler et vider la carpe en mettant de côté les œufs (ou la laitance).

— La couper en 6, 8 morceaux selon le nombre de convives.

— Faire bouillir dans une casserole à fond épais le vin, l'eau, les oignons, l'ail, le bouquet garni, le tout bien assaisonné pendant 10 minutes.

— Arrêter à ce stade l'ébullition et mettre les morceaux de carpe avec les œufs (ou la laitance) dans le vin.

— Laisser cuire 1/4 d'heure. Mettre dans un plat creux et tenir au chaud.

— Pendant ce temps filtrer le jus. Dans une casserole marier le beurre et la farine, ajouter le jus filtré et laisser bouillir 10 minutes.

— Au moment de servir, verser la sauce sur les morceaux de carpe.

La Brenne, « Pays aux mille étangs », au sud-ouest de l'Indre est un paradis naturel pour les oiseaux migrateurs, les tortues d'eau ou cistudes. Les propriétaires d'étangs pêchent la carpe, le brochet, la tanche, le gardon. On essaie de diversifier le marché et on trouve, maintenant, chez les traiteurs à Mézières en Brenne et Au Blanc de la terrine de carpe, des filets fumés, etc.

TRUITE AU SANCERRE ROUGE

1 belle truite
2 oignons
4 gousses d'ail
1 bouquet garni
Vin rouge de Sancerre

préparation

cuisson

— Dans une poissonnière déposer la truite bien nettoyée, égouttée, salée, poivrée, sur un lit d'oignons coupés en rondelles et les gousses d'ail fortement écrasées.

— Couvrir, sans plus, d'un bon vin rouge. Ajouter un bouquet garni, quelques grains de poivre noir, sel.

— Faire mijoter 20 minutes environ.

— Préparer une sauce blanche (Voir recette) qui se transformera en sauce rouge car elle se monte avec le court-bouillon, passer au tamis.

— Déposer délicatement la truite sur un plat chaud et napper de sauce.

Vingt jours après Carnaval, à la Mi-Carême carillonnée, les allouas cédaient le déguisement aux adultes. On promenait le Bœuf-gras par les hameaux en une sorte de cavalcade. Les gosses se gavaient alors de « beugnons ».

FRICASSÉE DE LUMAS

Une centaine de petits gris trouvés dans les « bouchures ».

— Faire jeûner les escargots une dizaine de jours.

— Laver à grande eau et faire dégorger en les saupoudrant de gros sel (compter 1 heure). Brasser de temps en temps et ôter la bave.

— Rincer à nouveau abondamment.

— Faire bouillir de l'eau salée dans une marmite. Faire cuire une dizaine de minutes.

— Oter les lumas des coquilles et ôter l'intestin (partie sombre). Laver à nouveau.

— Préparer un court-bouillon bien assaisonné en herbes, poivre en grains, sel. Cuire 3 heures à petit feu.

— Préparer pendant ce temps un hachis (persil, ail, cerfeuil, ciboulette).

— Égoutter les escargots, faire sauter au beurre dans une poêle et ajouter le hachis, sel, poivre. Bien remuer.

MATELOTE DE LAMPROIE **

1 kg de lamproie
2 gousses d'ail
150 g de beurre
50 cl de vin rouge de
Reuilly (Pinot uni)
Sel, poivre, persil

— Oter la peau de la lamproie (plonger rapidement dans l'eau bouillante). Retirer le nerf du milieu. Couper en tronçons, saler, poivrer. Faire revenir dans de l'huile de noix chaude. Faire bien dorer de toutes parts.

— Retirer et déposer dans un plat allant au four.

— Dans une poêle faire frire l'ail écrasé, le persil haché, durant 1 minute. Ajouter le vin.

— Verser le tout sur la lamproie et cuire 20 minutes au four.

— Servir avec des croûtons frits.

MARS : « Tranchons la vieille ! » pour la Mi-Carême. L'année commençait autrefois au 1er avril (sous le calendrier Julien), on faisait donc juste avant la fin de l'année, la foire aux vieilles. La foule se réunissait autour d'un mannequin qui, en fait, symbolisait l'année qui venait de s'écouler. Alors, on entendait des cris, comme « fendons la vieille, scions la vieille, tranchons la vieille ! »

113

ÉCREVISSES D'AIGURANDE **

Écrevisses (6 par
personne)
20 cl de crème fraîche
Huile
1 cuil. à soupe de poivre
vert

2 cuil. à soupe de Goutte
du pays
Persil haché, sel, poivre

préparation   **cuisson**

— Nettoyer les écrevisses, ôter le boyau. Faire sauter à feu vif dans l'huile chaude, saler, ajouter le poivre vert, flamber à la Goutte.

— Ajouter la crème et cuire 15 minutes à feu doux.

— Sortir et garder au chaud. Ajouter le persil haché dans la sauteuse. Remuer au fouet et verser sur les écrevisses la sauce mousseuse.

— Servir aussitôt.

GRENOUILLES DE LA BRENNE **

2 douzaines de cuisses de
grenouilles
1 œuf
Chapelure
Beurre, sel, citron

préparation   **cuisson**

— Battre l'œuf en omelette et plonger les cuisses, puis passer ensuite dans la chapelure.

— Faire fondre du beurre à feu vif et y mettre les cuisses de grenouilles.

— Cuire 5 minutes sur chaque face.

— Saler et servir sur un plat chaud avec des quartiers de citrons.

Scène du Berry. – Ferrage d'un Boeuf.

Collection L. C., Châteauroux.

CIVET DE CUISSES DE GRENOUILLES **

800 g de cuisses de
grenouilles
20 cl de Sauvignon blanc
4 échalotes
150 g de beurre
20 cl de crème fraîche
100 g de carottes
100 g de poireaux
100 g de grelots
Sel, poivre

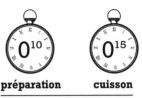

préparation 0^{10} **cuisson** 0^{15}

— Faire revenir les grenouilles dans un peu de beurre.

— Saler, poivrer et ajouter les échalotes hachées puis le vin blanc.

— Cuire 2 minutes et garder au chaud.

— Pendant ce temps, cuire tous les légumes coupés en petits cubes avec du beurre, à feux doux et à couvert.

— Incorporer les cuisses de grenouilles au bout d'une dizaine de minutes. Incorporer la crème fraîche. Cuire encore 5 minutes.

— Servir en disposant les cuisses sur le lit de légumes et napper avec la sauce.

BROCHET AU VINAIGRE DE FRAMBOISE **

1 brochet de plus d'1 kg
1 verre de vinaigre de
framboise
15 à 20 gousses d'ail
Beurre, thym, sel, poivre

préparation **cuisson**

— Nettoyer, vider le brochet. Éponger. Garnir le ventre des branches de thym.

— Beurrer un plat allant au four. Disposer le brochet sur le ventre. Cuire 15 minutes en l'arrosant avec le beurre fondu. Verser alors le vinaigre sur le poisson, cuiller après cuiller.

— Cuire à nouveau 15 minutes en arrosant avec le vinaigre.

— Servir chaud.

LE PÊCHEUR DE SANGSUES

Il y a un siècle, en vous promenant en Brenne à la belle saison, vous auriez pu rencontrer à la queue d'un bel étang un individu au teint livide, coiffé d'un épais bonnet de laine avançant à pas comptés, jambes et bras nus. Ce personnage singulier c'était le pêcheur de sangsues. Pieds nus, pantalon retroussé, l'homme attendait que les sangsues viennent se coller à ses mollets et de la main, il capturait celles qui nageaient à sa portée ou qui s'étaient fixées aux racines des joncs, sur la vase ou sur les cailloux verdâtres et moussus. Sa pêche venait grossir un petit sac qu'il portait sur le dos, attaché par une ficelle en croix.

(Gérard Coulon)

AGNEAU, MOUTON, CHEVREAU

CERVELLES D'AGNEAU

6 cervelles
Herbes (thym, laurier,
cerfeuil, estragon, persil
fort, ciboulette)
2 œufs
Sel, poivre, citron

Pâte à frire :
125 g de farine
2 cuil. à soupe d'huile
d'olive
2 dl d'eau

préparation   **cuisson**

— Faire dégorger, toute une nuit, les cervelles dans de l'eau froide vinaigrée.

— Préparer un court-bouillon aromatisé d'un jus de citron, thym, laurier, gros sel, grains de poivre.

— Faire pocher les cervelles 5 minutes dans ce court-bouillon.

— Préparer une pâte à frire en mélangeant la farine, l'huile, l'eau. Laisser reposer 15 minutes.

— Incorporer 2 blancs d'œufs battus en neige.

— Découper les cervelles en escalopes.

— Tremper dans la pâte à frire, plonger dans la friture, cuire sur les 2 faces.

— Retirer, éponger, saler, poivrer, garder au chaud.

— Accompagner d'une sauce tartare.

117

RIS D'AGNEAU AU FLAN DE POIREAUX

500 g de ris d'agneau
1 kg de blanc de
poireaux
1 dl de crème fraîche
épaisse
3 œufs
30 g de beurre

Sauce :
4 blancs de poireaux
20 g de beurre
1 dl de crème fraîche
liquide

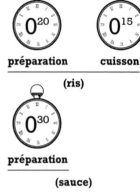

préparation   **cuisson**

(ris)

préparation

(sauce)

— Faire étuver les blancs de poireaux 20 minutes à découvert avec 10 g de beurre et 1/2 dl d'eau salée.

— Égoutter et passer au mixer. Pocher les ris (plonger dans une casserole d'eau froide et porter à ébullition).

— Égoutter, refroidir, couper en 2, faire revenir à feu très vif dans 20 g de beurre.

— Mélanger les œufs, la crème, à la purée de poireaux.

— Beurrer des moules individuels. Répartir la préparation et les ris. Cuire 20 minutes au bain-marie au four (th. 7).

— Préparer la sauce avec le reste de poireaux étuvés, dans 20 g de beurre, saler, poivrer, ajouter la crème fraîche.

— Laisser bouillir 5 minutes et passer au mixer.

— Servir avec les ris.

GIGOT DE MOUTON BRAISE AU MARC

1 gigot de 1,8 à 2 kg
150 g de lard fumé
2 l de bouillon
2 gousses d'ail
10 cl de Marc
3 tomates
50 g de beurre
Sel, poivre

préparation

— Frotter le gigot avec l'ail et glisser une gousse dans le haut du gigot.

— Enduire la viande de beurre. Faire revenir le lard coupé en morceaux dans une grande cocotte (4 à 5 minutes).

— Poser le gigot dessus et faire dorer de tous côtés.

— Verser le bouillon, cuire 4 heures, cocotte fermée et posée sur une plaque d'amiante.

— Aprés la première heure ajouter le verre de Marc et 30 minutes avant la fin mettre les tomates pelées, épépinées, coupées en morceaux.

Dans certains villages à la Mi-Carême, on voit même des enfants courir dans les rues avec des sabres de bois : ils cherchent les plus vieilles pour les « sabrer » ! Évidemment, il ne s'agit pas de vieilles femmes, mais bien de la vieille année symbolisée par un personnage d'osier. Le mannequin était alors emmené par la foule près de la rivière où on le précipitait en chantant : « On l'a sabrée la plus vieille du quartier ».

ROGNONS DE MOUTON

6 rognons
2 verres de Gamay
100 g de beurre
Sel, poivre
1 bouquet garni

préparation 0^{15} **cuisson** 4^{10}

— Faire dégager les rognons coupés en 2 dans le sens de la longueur (eau froide vinaigrée). Éponger.

— Faire sauter les rognons dans du beurre. Déglacer avec le vin rouge. Assaisonner. Retirer les rognons et les garder au chaud.

— Lier la sauce avec le beurre.

— Napper les rognons et servir sur des assiettes chaudes.

Le vignoble sancerrois couvre actuellement environ 1 530 hectares répartis sur les communes de Bannay, Bué, Crézancy, Ménetou-Ratel, Ménétréol-sous-Sancerre, Montigny, Saint-Satur, Sainte-Gemme-en-Sancerrois, Sancerre, Sury-en-Vaux, Thauvenay, Veaugues, Verdigny et Vinon.
Les vins blancs A.O.C Sancerre proviennent exclusivement du cépage «Sauvignon», cépage noble de deuxième maturité, à grappes serrées, au petit grain oblong, vert-jaunâtre ponctué de noir au jus très sucré, à l'arôme caractéristique et original s'apparentant au musc et au buis.
Les vins rouges et rosés sont issus du cépage «Pinot Noir», cépage célèbre de première époque de maturité, à grappes serrées, au grain petit, rond, à la pruine bleue, au jus riche, au parfum qui tient à la fois de la cerise et de la violette.

ÉPAULE DE MOUTON FARCIE**

1,5 kg d'épaule de
mouton désossée
200 g de hachis de porc
2 oignons
50 g de mie de pain
500 g de céleri-rave
3 branches de céleri et
de persil
4 pommes de terre
2 carottes

3 poireaux
1 œuf
1 gousse d'ail
1 bouquet garni
Sel, poivre, girofle
75 g de beurre

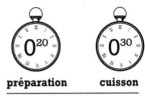

préparation   **cuisson**

— FARCE : Au porc haché ajouter de la mie de pain trempée dans du lait et égouttée, le persil haché, l'ail pilé, 1 œuf entier, sel, poivre et l'oignon haché (légèrement frit).

— Étaler l'épaule et enduire le côté intérieur de farce. Rouler, ficeler. Plonger dans un faitout d'eau salée. Porter à ébullition.

— Ajouter alors les légumes, le bouquet garni, l'oignon piqué de 2 clous de girofle. Cuire 1 heure environ.

— Retirer les légumes et réduire en purée, ajouter 75 g de beurre et laisser épaissir sur le feu quelques minutes. Saler, poivrer.

— Couper la viande après l'avoir déficelée et servir avec la purée.

* Suivant les goûts, on peut également arroser de bouillon.

CABRI RÔTI

1 cuissot de cabri
4 gousses d'ail
1 verre de vinaigre de vin
Persil, fines herbes
Sel, poivre

préparation   **cuisson**

— Poser le gigot dans un plat, saler, poivrer, graisser (beurre, huile ou graisse).

— Cuire 5 minutes à four chaud puis 30 minutes à four modéré (arroser).

— Hacher les fines herbes, les déposer au fond du plat et cuire à nouveau 15 minutes. Ajouter le vinaigre. Cuire encore 15 minutes.

— Déglacer à l'eau chaude et découper.

— Servir dans un plat chaud avec des pommes de terre sautées.

L'accouchement est affaire de femmes. La mère mettait au monde son enfant chez elle, aidée par les femmes de sa famille ou les voisines. Après l'accouchement elle avait droit à une soupe au vin si c'était un garçon, ou une soupe au lait si c'était une fille.

RAGOÛT DE CHEVREAU **

1 kg de chevreau
(épaule)
2 verres de vin rouge
1 poireau
2 oignons
5 gousses d'ail
1/2 verre d'huile
1 bouquet garni
Persil, sel, poivre

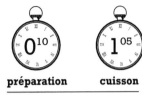

préparation 0¹⁰   **cuisson** 1⁰⁵

— Découper en gros cubes la viande et faire dorer dans une cocotte avec un peu d'huile.

— Retirer et mettre à la place les légumes émincés. Remuer et cuire 10 minutes environ.

— Chauffer le vin et verser sur les légumes et la viande. Ajouter le bouquet garni, l'ail, le sel et le poivre. Laisser mijoter 1 heure.

— Sortir la viande, poser sur un plat chaud.

— Oter le bouquet garni. Laisser réduire la sauce et napper le chevreau. Décorer de persil haché.

— Accompagner de pommes vapeur.

Pour les femmes qui ne tombaient pas enceintes, il existait des pèlerinages comme celui de Saint-Guerluchon. Près de Nohant-Vic on trouvait un dolmen voué à Saint-Guerluchon : il suffisait de gratter la pierre pour récupérer une fine poudre et l'absorber.

VEAU

LE VIAU-T-AU VIN

*1 kg de veau (poitrine,
épaule, tendron)
250 g de poitrine de porc
demi-sel (coupée en
lardons)
75 g de beurre
4 oignons
3 gousses d'ail
Bouquet garni
1 l 1/2 vin rouge (Gamay)*

*2 cuil. d'huile
1 petit verre de cognac
Sel, poivre, farine
Persil haché*

préparation 0^{20} **cuisson** 1^{10}

— Hacher grossièrement l'ail et l'oignon.

— Faire revenir la viande coupée en carrés dans le beurre et l'huile. Fariner légèrement.

— Remuer et rajouter les lardons, le hachis d'ail, d'oignons.

— Faire bouillir le vin, verser sur la viande. Cuire à feu doux et à couvert, saler, poivrer.

— Passer la sauce au chinois et remettre à cuire avec la viande, 30 minutes, à feu toujours très doux.

— Saupoudrer de persil haché en servant.

VEAU EN MATELOTE

1 kg de veau en
morceaux (poitrine,
épaule)
1 cuil. à soupe de beurre
1 cuil. à soupe de farine
1 verre de vin rouge
(Gamay)
1 verre de vinaigre
1/2 verre de bouillon
12 petits oignons

1 jus de citron
1 bouquet garni
Sel, poivre

préparation **cuisson**

— Faire dorer la viande dans du beurre très chaud. La retirer. Saupoudrer de farine. Laisser brunir légèrement.

— Touiller avec le bouillon et le vin, le jus de citron. Ajouter le bouquet garni, sel, poivre.

— Remettre les morceaux de viande et laisser cuire tout doucement 2 heures.

— Au moment de servir ajouter le vinaigre.

Le vignoble de Ménetou-Salon représente les restes d'un vignoble très ancien, que les moines du prieuré de Saint-Sulpice avaient su mettre en valeur (Ménetou est une déformation du mot monastère). L'aire d'appellation recouvre, outre la localité de Ménetou-Salon, les communes de Parassy, Aubinges, Morogues, Soulangis, Quantilly, Saint-Céols, Vignoux-sous-les-Aix, Pigy et Humbligny. Les vins de Ménetou-Salon sont issus du cépage Sauvignon, pour les blancs et du Pinot noir de Bourgogne pour les rouges et rosés. Le Rouge accompagne les viandes rouges et blanches, le poulet, la poularde, le lapin, le gigot de mouton, les râgouts, les mitonnées, le faisan et les gibiers d'eau ; le Blanc les hors-d'oeuvres, la charcuterie, les huitres, les poissons de mer et de rivière, les poissons grillés et en sauce.

ROUELLES DE VEAU EN COCOTTE

2 petits jarrets de veau
3 carottes
2 oignons
1 bouquet garni
4 gousses d'ail
Bouillon de viande
500 g de carottes
nouvelles
500 g de girolles
Beurre, sel, poivre

préparation   **cuisson**

— Découper les jarrets en rouelles de 5 cm d'épaisseur.

— Faire colorer dans une cocotte avec du beurre.

— Ajouter les oignons émincés, 3 carottes en rondelles, le bouquet garni. Bien remuer le tout.

— Couvrir jusqu'à hauteur des rouelles de bouillon de viande chaud auquel on ajoute 2 morceaux de sucre. Cuire à feu doux 1 heure.

— Retirer la garniture et remplacer par des carottes nouvelles. Cuire à nouveau 50 minutes. Nettoyer les girolles.

— Ajouter à la préparation et continuer la cuisson 10 minutes.

— Servir aussitôt.

ESCALOPES DE VEAU AUX MORILLES

2 escalopes par personne
(très fines)
200 g de morilles fraîches
200 g de champignons de
Paris
150 g de crème
1 cuil. à soupe de madère
1 cuil. à café de fond de
veau déshydraté
50 g de beurre

1 cuil. à soupe d'huile
Sel, poivre

préparation   **cuisson**

— Bien aplatir les escalopes.

— Chauffer 25 g de beurre et l'huile. Dorer les escalopes sur chaque face. Saler, poivrer.

— Laver, égoutter, éponger les morilles. Couper les champignons en lamelles.

— Faire revenir les 2 champignons dans le reste du beurre.

— Cuire 8 minutes à feu doux. Ajouter le madère. Ajouter la crème, le sel, le poivre.

— Déglacer la poêle avec 5 cl d'eau et ajouter le fond de veau.

— Faire bouillir 1 minute et verser ce jus sur les champignons.

— Servir les escalopes nappées de cette sauce.

QUASI DE VEAU AUX POIS GOURMANDS

1 kg de quasi de veau
1 kg de pois gourmands
100 g de beurre
100 g de lard de poitrine
coupé en lardons
2 petits oignons

1 dl de vin blanc
1 cuil. à soupe de farine
1/2 l de consommé
2 jaunes d'œufs
Sel, poivre

préparation   **cuisson**

— Faire dorer la moitié des lardons dans une cocotte avec un oignon coupé en deux et 50 g de beurre.

— Retirer du feu et mettre le veau à dorer sur toutes ses faces (10 minutes).

— Remettre les lardons, les oignons.

— Mouiller avec le vin blanc, sel, poivre. Cuire 20 minutes à feu doux en couvrant.

— Préparer les pois gourmands et les mettre à roussir dans une cocotte avec le reste des lardons, l'oignon, 50 g de beurre. Cuire environ 10 minutes en remuant.

— Saupoudrer de farine, tourner, mouiller avec le bouillon.

— Laisser mijoter 15 minutes.

— Dans un bol, mettre les 2 jaunes d'œufs, 1 cuillerée à soupe de jus de cuisson de veau. Bien remuer.

— Sortir les pois, égoutter et mettre dans un légumier.

— Hors du feu, ajouter au jus de cuisson les œufs délayés. Verser le tout sur les pois.

— Servir avec le veau coupé en tranches. Mettre le reste du jus en saucière.

GRAS DOUBLE **

500 g de gras double cuit
1 kg de tomates
2 oignons
2 carottes
50 g de beurre
30 cl de vin blanc de
Quincy
2 gousses d'ail
1 bouquet garni
Sel, poivre

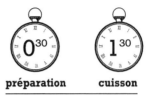

préparation   **cuisson**

— Découper le gras double en lanières.

— Peler les tomates.

— Faire un hachis avec les oignons et les carottes.

— Dans une cocotte cuire le hachis avec un peu de beurre, ajouter l'ail écrasé et le bouquet garni (thym, laurier, persil). Bien remuer.

— Mettre le gras-double, cuire 5 minutes environ en remuant puis mouiller avec le vin blanc et couvrir. Cuire 2 heures à feu doux.

— Servir accompagné de pommes vapeur ou de pâtes fraîches.

> Le jour du décès, dans la maison du mort, on arrête les horloges, on couvre les miroirs, et l'on prépare l'enterrement. Dans le cercueil, on n'oubliera pas de placer une ou plusieurs pièces d'or pour « payer » son passage vers le paradis.

VEAU À LA BERRICHONNE **

1 kg d'épaule de veau
300 g lard de poitrine 1/2
sel (en lardons)
4 oignons
1 1 1/2 de Gamay
2 cuil. à soupe d'huile
75 g de beurre
1 verre de cognac
1 cuil. à soupe de
concentré de tomates

2 cuil. à soupe de
vinaigre blanc
1 gousse d'ail
1 feuille de laurier
1 bouquet garni
1 cuil. à café de gros sel
6 œufs

préparation   **cuisson**

— Couper le veau en cubes.

— Hacher les oignons, faire blondir dans une sauteuse avec l'huile et le beurre.

— Ajouter le veau, laisser dorer 5 minutes. Remuer avec une cuiller en bois. Retirer la viande et garder au chaud dans une cocotte.

— Faire revenir les lardons et les oignons dans la sauteuse à feu doux (3 minutes environ).

— Enlever le gras de cuisson et verser les oignons, les lardons dans la sauteuse avec le veau. Saupoudrer de farine, cuire doucement à feu doux, remuer, assaisonner, ajouter le cognac, flamber.

— Pendant ce temps faire bouillir le vin, flamber. Verser le vin chaud sur la viande, ajouter le bouquet garni, la tomate. Couvrir. Cuire 1 h 30 à feu doux.

— Oter la viande. Réserver au chaud dans un plat. Passer la sauce au chinois, faire réduire 10 minutes.

— Pocher 6 œufs.

— Mettre la viande et la sauce dans un plat creux et placer les œufs pochés dessus en saupoudrant de persil haché.

— Servir chaud.

RIS DE VEAU **

600 g de ris de veau
1/2 l de vin blanc
(Quincy)
1 oignon
1 carotte
1/2 citron

200 g de champignons de
Paris
35 cl de crème fraîche
Sel, poivre blanc
Bouillon de volaille
Thym

préparation   **cuisson**

— Faire dégorger les ris (1 heure dans de l'eau froide vinai-grée).

— Faire blanchir à l'eau bouillante salée (5 minutes).

— Éplucher.

— Émincer la carotte, l'oignon et cuire dans du beurre avec du thym. Faire suer en remuant avec une cuiller en bois.

— Déposer les ris coupés en gros cubes. Cuire 5 minutes et ajouter le vin blanc. Continuer la cuisson.

— Ajouter un bol de bouillon de volaille, assaisonner. Couvrir et cuire 30 minutes à feu doux.

— Cuire les champignons de Paris dans une poêle avec un filet de citron, sel, poivre, beurre.

— Retirer les ris, garder au chaud.

— Passer la sauce de cuisson, ajouter la crème fraîche, laisser réduire un peu (feu doux), rajouter les ris et les champignons.

— Laisser mijoter quelques secondes.

— Servir sur des tranches de pain grillé ou dans des bou-chées feuilletées chaudes.

ROGNONS DE VEAU AU SANCERRE

4 rognons de veau
125 g de lard maigre
20 oignons grelot
2 échalotes
1 gousse d'ail
1 bouquet garni
20 champignons de Paris
frais
1/2 l de Sancerre
1 bouquet garni

Sel, poivre
1 verre à liqueur vieux
Marc

0¹⁵

préparation

0⁴⁰

cuisson

— Hacher les échalotes.

— Émincer les champignons et faire cuire pour jeter l'eau.

— Nettoyer les rognons, débiter en gos morceaux. Faire sauter dans du beurre, saler, poivrer, flamber au vieux Marc.

— Retirer, déposer sur un lit d'échalotes, couvrir et cuire à feu doux avec du beurre.

— Dans une sauteuse, faire rissoler les lardons, ajouter les champignons, l'ail écrasé, le bouquet garni. Assaisonner.

— Verser le Sancerre et laisser réduire la sauce avant de la lier au beurre.

— Déposer les rognons sur un plat chaud. Napper de la sauce et servir aussitôt.

PORC

BOUDIN NOIR AUX POMMES

6 pommes reinettes
Boudin noir
Graisse de porc

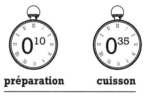

préparation   **cuisson**

— Couper les pommes en lamelles après les avoir pelées.

— Les cuire à feu doux dans la graisse chaude et les laisser se coller pour faire une sorte de crêpe bien dorée

— Dans une autre poêle, cuire les morceaux de boudins (on peut ôter la peau) à feu doux.

— Faire glisser les pommes sur un plat et déposer le boudin au dessus.

Lorsqu'on « cuisinait le cochon » dans les fermes, il était de coutume de porter du boudin frais aux amis.

FILETS MIGNONS DE PORC

AUX LENTILLES DU BERRY

2 filets mignons
200 g de lentilles
1 gros oignon
2 gousses d'ail
1 bouquet garni

20 g de saindoux
2 cuil. à soupe d'huile
d'arachide
Sel, poivre

préparation   **cuisson**

— Chauffer le saindoux dans une cocotte.

— Faire revenir l'oignon grossièrement haché 4 à 5 minutes en remuant.

— Ajouter les lentilles, le bouquet garni, l'ail écrasé, couvrir d'eau froide.

— Amener à ébullition et cuire 1 h 30 en salant en cours de cuisson.

— Dans une autre cocotte, faire colorer les filets mignons. Égoutter et mettre à cuire 15 minutes avec les lentilles.

— Ajouter l'ail, le bouquet garni.

— Couper ensuite la viande en tranches.

— Dresser sur un plat de service.

— Prélever les lentilles avec une écumoire et disposer dans un autre plat.

— Napper la viande et les lentilles avec la sauce.

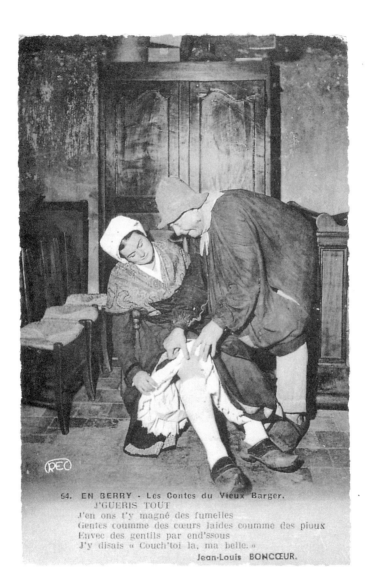

94. EN BERRY - Les Contes du Vieux Barger.
J'GUERIS TOUT
J'en ons t'y magné des fumelles
Gentes coumme des cœurs laides coumme des pioux
Envec des gentils par end'ssous
J'y disais « Couch'toi la, ma belle. »
Jean-Louis BONCŒUR.

MIGNON DE PORC À LA SAUGE

ET AUX LENTILLES

Pour 4 personnes :
200 g de lentilles
1 mignon de porc de
600 g
1 carotte
1 oignon piqué de 2 clous
de girofle

1 verre de vin blanc sec
40 g de beurre
Bouquet garni
3 feuilles de sauge
Huile, sel, poivre, persil

préparation   **cuisson**

— Jeter les lentilles dans l'eau froide, les faire cuire avec une carotte coupée en rondelles ou en dés, l'oignon piqué de clous de girofle et le bouquet garni.

— Laisser cuire 30 minutes à feu doux.

— Pendant ce temps, faire dorer dans une cocotte et dans de l'huile très chaude, le filet mignon sur toutes ses faces.

— Assaisonner de sel et poivre. Retirer le filet, jeter la graisse de cuisson. Remettre le filet dans la cocotte, ajouter le vin blanc et les feuilles de sauge.

— Porter à ébullition, puis réduire le feu et laisser cuire 35 minutes en retournant plusieurs fois le filet mignon.

— Passer le jus de cuisson, y incorporer quelques noisettes de beurre en fouettant.

— Égoutter les lentilles, les disposer dans un légumier chauffé.

— Détailler le filet en médaillons.

— Napper de sauce et poudrer de persil haché.

* On peut aussi piqueter ce filet de feuilles de sauge cou-
pées en 4 et le clouter d'ail.

135

POTÉE

1 kg de palette de porc
demi-sel
1 kg échine de porc
demi-sel
12 carottes
1 chou
6 poireaux
1 céleri rave
2 ou 3 oignons
2 ou 3 gousses d'ail

1 bouquet garni (thym,
persil, laurier)
Gros sel, poivre en
grains
Clous de girofle
1 pot de crème fraîche
1 citron
Moutarde forte

0⁵

préparation

0⁴⁰

cuisson

(Attente 4 h)

— Dessaler l'échine et la palette en changeant plusieurs fois d'eau.

— Dans un pot mettre suffisamment d'eau pour les cuire. Plonger la viande dès l'ébullition et cuire 10 minutes environ.

— Dans une marmite mettre le bouquet garni, l'ail, l'oignon clouté de girofle. Poser les viandes. Mouiller d'eau froide. Bien recouvrir. Ajouter les grains de poivre.

— Faire venir l'ébullition et maintenir 2 heures en couvrant la marmite (feu doux).

— Nettoyer les légumes (céleri rave, carottes, poireaux et choux). Couper ce dernier en gros quartiers que l'on blanchit 5 minutes à l'eau salée bouillante.

— Mettre dans la marmite avec les viandes 25 minutes environ avant la fin de la cuisson.

— Chauffer légèrement la crème mouillée de jus de citron et ajouter hors du feu la moutarde. Cette sauce accompagnera le pot au feu.

— On peut servir avec du pain de campagne grillé.

JAMBONNEAU AUX LENTILLES

1 jambonneau frais demi-sel
4 saucisses
5 ou 6 carottes
2 oignons
500 g de lentilles du Berry
2 cuil. à soupe de graisse (ou huile)
2 gousses d'ail

1 bouquet garni (persil, thym, laurier)
Poivre et sel

préparation   **cuisson**

— Faire dessaler le jambonneau la veille en changeant plusieurs fois d'eau, cuire ensuite 5 minutes dans une eau frémissante.

— Faire revenir carottes, oignons coupés en lamelles dans la graisse. Ajouter la viande. Couvrir d'eau froide avec le bouquet garni et cuire 3 heures à feu doux.

— 1 heure avant la fin de cette cuisson, cuire les lentilles avec sel, gousse d'ail, eau froide. Cuire à feu doux en laissant mijoter 10 minutes.

— Mettre le jambonneau dans les lentilles avec un peu de son eau de cuisson. Chauffer 10 minutes. Ajouter les saucisses. Cuire encore 20 minutes, les lentilles doivent être moelleuses avec peu de jus.

La fin des moissons est l'occasion de nombreuses fêtes. Si la récolte a été bonne, on célèbre la dernière gerbe de blé en la parant de rubans, on l'embellit de tresses, puis, accompagné de cette « Gerbaude », on défile dans les rues, telle une procession qui marque la fin des moissons.

JAMBON PERSILLÉ

1,5 kg jambon demi-sel
1 pied de veau
100 g de couennes
fraîches
250 g de jarret de veau
1 os de veau
1 bouquet garni avec
céleri, estragon et persil
4 échalotes
1 gousse d'ail

Vinaigre, sel, poivre gris
en grains
Vin blanc sec

préparation   **cuisson**

(Attente 12 h)

— Faire dessaler le jambon la veille en changeant plusieurs fois d'eau.

— Dans une marmite d'eau froide placer le jambon, le pied de veau, les couennes roulées et ficelées. Porter à ébullition. Cuire 25 minutes à feu doux.

— Retirer du feu et égoutter le tout.

— Dégraisser le jambon et retirer sa couenne.

— Couper le jambon en gros cubes.

— Placer avec le jarret de veau, l'os de veau, le pied et les couennes dans une marmite.

— Couvrir de vin blanc sec. Ajouter le bouquet garni, le poivre en grains. Couvrir et cuire 3 heures.

— Sortir le jambon. Égoutter et couper en dés plus petits. Mélanger avec persil, ail, échalotes hachées. Mettre le tout dans une terrine. Filtrer et dégraisser le vin de cuisson. Chauffer.

— Ajouter un filet de vinaigre et verser sur le jambon.

— Laisser prendre au froid et démouler avant de servir.

JAMBON AU SAUVIGNON DE REUILLY

Pour 4 personnes :   *Estragon en poudre*
4 tranches de jambon
braisé
6 échalotes
1 œuf
1 dl de Sauvignon de
Reuilly
1 dl 1/2 de crème
50 g de beurre
Sel, poivre

— Éplucher et hacher les échalotes et mettre à cuire dans une casserole avec le vin, le sel (très peu) et le poivre.

— Porter à ébullition. Laisser réduire de moitié à petit feu.

— Réchauffer le jambon par tranches dans une poêle avec un peu de beurre.

— Pendant ce temps battre le jaune d'œuf avec la crème et incorporer, hors du feu, à la réduction d'échalotes. Bien mélanger au fouet et remettre sur le feu pour faire épaissir (éviter l'ébullition).

— Hors du feu, incorporer le reste du beurre peu à peu.

— Disposer le jambon sur un plat chaud.

— Napper avec la sauce.

— Saupoudrer d'estragon et servir aussitôt.

(Recette de Mme Gilles Legros)

PETIT SALÉ AUX LENTILLES

500 g de lentilles
6 saucisses fumées
1 oignon
1 bouquet garni
Sauge
4 cuil. d'huile
Persil haché
Sel, poivre

— Faire tremper les lentilles durant la nuit.

— Les égoutter. Dans une cocotte faire revenir l'oignon et les carottes émincées.

— Ajouter les lentilles, la sauge, poivrer et couvrir le tout d'eau froide.

— Réduire le feu dès que cela bout. Incorporer le petit salé et les saucisses. Couvrir la cocotte et laisser mijoter 40 minutes environ. Saler si nécessaire en cours de cuisson.

— Avant de servir, égoutter les lentilles et parsemer de persil haché.

Aux approches de Noël, en Berry, on tue le cochon. C'est une fête pour toute la maisonnée (qu'on appelle parfois, irrévérentieusement la Saint Cochon!) On fabrique des andouilles, du boudin, du pâté de foie et des fromages de tête. Pendant plusieurs jours, grands et petits ne s'occupent que de « cochonaille ».

(Jean-Louis BONCŒUR)

ANDOUILLETTES GRILLÉES

— Piquer les andouillettes et les griller à feu vif en les retournant.

— Pendant ce temps préparer une purée de pommes de terre.

— Hors du feu lui ajouter le lait tiède et une cuillerée de crème.

— Servir les andouillettes sur la purée.

ANDOUILLETTES AU VIN BLANC *

1 andouillette par personne
Échalotes
1/2 l de vin blanc
20 g de beurre

préparation

cuisson

— Beurrer un plat allant au four.

— Éplucher les échalotes, les émincer, les faire fondre tout doucement dans un peu de beurre.

— Garnir le fond du plat avec les échalotes, poser les andouillettes dessus, verser le vin blanc et faire cuire à four chaud (th. 6/7) pendant 40 minutes.

— Servir avec une purée aillée.

ANDOUILLETTES DE MEHUN **

2 andouillettes (façonnées
au torchon)
2 cuil. de crème fraîche
1 cuil. de moutarde
25 cl de vin blanc de
Quincy
1 échalote
Sel, poivre

préparation   **cuisson**

— Ouvrir les andouillettes et passer sur le gril.

— Faire la sauce avec l'échalote hachée que l'on met à fondre dans le beurre.

— Ajouter la moutarde. Tourner (cuiller en bois).

— Déglacer avec le vin. Verser la crème et fouetter vivement.

— Saler (légèrement), poivrer et napper les andouillettes.

— Servir aussitôt avec les tranches de pain grillé.

La partie la plus importante est celle de la préparation du « salé » qui sera consommé tout au long de l'année. La maîtresse de maison remplit de gros sel gris, un vaste pot (ou « saloir ») en terre de La Borne, des « Archers » ou de Verneuil, et y enfouit des quartiers de cochon ; puis on bouche hermétiquement le récipient que l'on conserve en un lieu frais et sec.

(Jean-Louis BONCŒUR)

PÂTÉ DE CAMPAGNE

500 g d'échine de porc
sans os
300 g de foie de porc
300 g de lard de poitrine
frais
300 g de lard gras frais
250 g d'oignons
3 œufs
20 g beurre
10 cl Eau de Vie

2 gousses d'ail
1/2 cuil. à café 4 épices
2 pincées de cannelle
2 feuilles de laurier
Poivre gris
Sel
Persil plat haché
1 barde de lard

préparation

cuisson

— Hacher finement les oignons et faire blondir 5 minutes avec le beurre.

— Couper toutes les viandes et hacher finement (à plusieurs reprises si nécessaire).

— Écraser l'ail au presse-ail.

— Mélanger le hachis de viande oignon, ail, les œufs battus, les épices, l'Eau de Vie, le sel et le poivre.

— Chauffer le four (th. 6).

— Tapisser une terrine avec la barde de lard.

— Verser la préparation, tasser à la main. Poser les feuilles de laurier. Rabattre la barde sur la terrine. Couvrir.

— Cuire 2 heures au four au bain-marie.

— Sortir du four. Oter le couvercle. Laisser reposer 15 minutes.

— Poser une planche et un poids et dès qu'elle est froide mettre plusieurs jours au réfrigérateur.

143

PÂTÉ DE PORC AUX MARRONS

Pâte :
400 g de farine
200 g de beurre
1 œuf
1/2 cuil. à café de sel
Farce :
400 g d'échine sans os
200 g de poitrine fumée
100 g de lard gras frais
1/2 boîte de marrons

100 g d'oignons
2 côtes de céleri
2 œufs
5 cuil. de porto
Noix de muscade
Sel, poivre
1 œuf, beurre

préparation   **cuisson**

Pâte :

— Tamiser la farine, ajouter le sel et le beurre coupé en dés. Ajouter l'œuf entier. Travailler à la main.

— Ajouter un peu d'eau si nécessaire et rouler la pâte en boule. Mettre 1 heure au frais.

Farce :

— Hacher très fin les viandes, l'oignon.

— Couper très fin les côtes de céleri.

— Égoutter les marrons.

— Battre les œufs. Tout mélanger à la main dans une terrine avec les œufs battus, le porto, la muscade, poivre et sel.

— Ajouter les marrons et mélanger très délicatement pour ne pas la briser.

— Chauffer le four (th. 6).

— Beurrer un moule à cake. Étaler les 3/4 de la pâte. Garnir le moule en faisant déborder tout autour.

144

— Étaler le reste de la pâte (rectangle de la grandeur du moule).

— Emplir le moule. Tasser. Couvrir avec le second morceau de pâte badigeonné à l'œuf.

— Rabattre la pâte, souder, faire une cheminée.

— Glisser le moule dans le four durant 1 h 30 environ.

— Servir chaud ou froid.

VINIFICATION DU SANCERRE

Les vendanges sont généralement effectuées dans les trois premiers jours d'octobre et durent de quinze jours à trois semaines. Les moûts de Sauvignon, légèrement débourbés, fermentent en tonnes de bois de 600 litres ou en cuves de faible capacité (de 20 à 25 hl). Les fermentations s'effectuent très lentement : trois semaines, parfois davantage. Les vins blancs produits doivent être mis très jeunes en bouteille pour conserver l'intégralité de leurs qualités. Ils dosent de 12 à 12,5°, avec une acidité de 5 à 7 grammes par litre, suivant les années.

«Nulle part ailleurs, d'après un spécialiste, le Sauvignon n'atteint cette vigueur, cette verve, cette générosité, cette finesse inimitable qui permettent d'en tirer des vins blancs secs et fruités».

Vinifiés en «gris», c'est-à-dire pressés immédiatement après la vendange, les raisins de Pinot Noir fournissent un vin rosé, saumonné, à peine teinté. Vin de primeur qui possède du grain, de la finesse, il va de 12 à 13° avec 4 à 5 grammes d'acidité par litre.

Les vins rouges de Pinot, autrefois célèbres, redeviennent courants. Ils proviennent de cuvaison relativement courte et sont, le plus souvent vieillis en fûts, avant d'être tirés. Leur légèreté et leur charme sont remarquables et selon un expert «leur parfum de violette, particulièrement prometteur pour les gourmets, laisse présager, après un propice recueillement commencé en cercles et poursuivi en bouteilles, des dégustations expertes au cours d'un grand repas».

CÔTES DE PORC FLAMBÉES **

1 côte de porc par
personne
1/2 l de coulis de tomate
1 gousse d'ail
4 cornichons
1 verre de vin rouge
1 cuil. de Goutte du pays
Persil haché, bouquet
garni
Sel, poivre

préparation 0²⁰   **cuisson** 1³⁰

— Faire dorer les côtes de porc de chaque côté dans une poêle, flamber à la Goutte. Garder au chaud.

— Verser le vin dans la poêle, remuer en ajoutant le coulis de tomate, l'ail pressé, sel, poivre, bouquet garni et les cornichons coupés en lamelles.

— Mélanger. Déposer les côtelettes. Couvrir et cuire 15 minutes à feu doux.

— Servir en parsemant de persil haché.

— Accompagner de riz étuvé.

> Au fur et à mesure des besoins, on coupe des tranches de « salé » que l'on met bouillir avec des choux, des pommes de terre et (plus rarement), des pois rouges. C'est la « potée » berrichonne. La « triballe » est un carré de filet de porc frais, piqué d'ail et rôti au four après la cuisson du pain.
>
> (Jean-Louis BONCŒUR)

BŒUF

RÔTI DE BŒUF AU CHOU

1 rosbif
1 chou pommé
3 poireaux
3 oignons

1/2 l de bouillon de bœuf
Ail, ciboulette
75 g de beurre
Sel, poivre

préparation

cuisson

— Peler les oignons, nettoyer les poireaux, les fendre en 4.

— Couper le chou en quartiers, bien le laver et le plonger dans de l'eau bouillante salée (5 minutes).

— Égoutter soigneusement.

— Dans une grande cocotte, mettre les oignons coupés en lamelles, les poireaux.

— Cuire 10 minutes dans du beurre. Ajouter le bouillon de chou, saler, poivrer. Cuire 45 minutes.

— Poser le rôti sur ce lit de légumes.

— Cuire dans le four préchauffé, à découvert, pendant 25 à 40 minutes suivant les goûts.

— Saler, poivrer en retirant la barde du rôti, 10 minutes avant la fin de cuisson choisie.

— Retirer le bœuf, garder au chaud.

— Ajouter aux légumes un peu de beurre et la ciboulette coupée menue et l'ail haché. Mélanger.

— Servir la viande en tranches sur ces légumes.

Parmi les crus réputés du Berry, Reuilly tient une des meilleures places depuis un temps immémorial. Son nom inscrit dans les plus vieilles chartes de l'Abbaye de St Denis se retrouve en 1557 dans la «Description générale des pays et duché de Berry» de Nicolay, où son vin est cité comme le meilleur du Berry. Les vins de Reuilly sont récoltés dans plusieurs communes : Reuilly et Diou dans l'Indre, Chéry, Lazenay, Preuilly, Cerbois et Lury dans le Cher. Vins bénéficiant de l'appelation de Reuilly :

– le Sauvignon est le triomphe du terroir, d'un fruité exquis et d'un bouquet délicat est incomparable avec le poisson et les fruits de mer ;

– le Pinot Gris est une exclusivité du vignoble de Reuilly. Il est à la fois apéritif et vin de dessert ;

– le Pinot Noir est un vin rouge racé, d'un bouquet élégant, aime la bonne chère, gibier rôti succulent.

Le Blanc accompagne le tête de veau, les charcuteries, l'anguille, les fromage de chèvre ; le Gris les pâtisseries, galettes, gouère, les échaudés, le millat ; le Rouge les civets, le gibier, le filet de bœuf. On trouve aussi un vin de pays rouge et rosé vinifié à base de Gamay.

FILET DE BŒUF À LA FICELLE

1,5 kg de filet de bœuf
(Paré, ficelé)
250 g de carottes
250 g de navets
1/2 céleri en branches
2 poireaux
1 oignon
1 bouquet garni
Gros sel, sel fin, poivre

préparation 0²⁵ **cuisson** 1¹⁵

— Dans un faitout, placer les légumes nettoyés, l'oignon piqué de 2 clous de girofle, le bouquet garni.

— Verser 3 l d'eau, sel, poivre.

— Cuire 15 minutes à petits bouillons.

— Dans une cocotte mettre un peu d'huile et de beurre et faire colorer de toutes parts le filet de bœuf.

— Retirer. Attacher avec une ficelle à une grande cuiller en bois que l'on pose en travers du faitout.

— La viande doit tremper dans le bouillon.

— Cuire 25 à 30 minutes et écumer. Servir ce filet coupé en tranches entouré de légumes avec du gros sel, de la moutarde, des cornichons.

FILET EN CROUTE

1 kg de filet de bœuf
300 g de pâte feuilletée
50 g de beurre
Sel, poivre

préparation   **cuisson**

— Saler, poivrer, enduire de beurre et rôtir à four chaud 20 minutes dans un four préchauffé. Retourner à mi-cuisson. Arroser souvent.

— Retirer du plat, égoutter, laisser refroidir.

— Abaisser la pâte feuilletée à 5 millimètres d'épaisseur. Envelopper le rôti de cette pâte.

— Fermer en pinçant la pâte.

— Remettre 30 minutes à four chaud, jusqu'à ce que la pâte soit dorée.

— Servir avec une macédoine de légumes.

La louée, ou foire aux valets. (24 juin)
Lors de cette journée de foire, les gens qui se font employer dans les domaines viennent pour trouver un nouveau patron, les parents accompagnent les enfants qui sont en âge de travailler à la ferme, et chacun cherche à se louer pour une année jusqu'à la Saint-Jean de l'année suivante ou seulement jusqu'à la Saint-Michel.

FILET DE BŒUF AUX TROIS CHAMPIGNONS

Pour 4 personnes :   *Sel, poivre*
4 tranches de filet de
bœuf de 150 g
300 g de girolles
500 g de pleurotes
1 truffe
1 cuil. de persil haché
3 cuil. à soupe de crème
fraîche épaisse
40 g de beurre

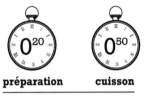

préparation   **cuisson**

— Bien essuyer les champignons. Couper en 2 les plus gros. Émincer la truffe en rondelles.

— Chauffer 20 g de beurre et cuire les pleurotes et les girolles 7 à 8 minutes en remuant. Saler, poivrer.

— Dans une autre poêle faire chauffer 20 g de beurre et dès qu'il mousse, cuire les tranches de rôti en les tournant. (2 minutes par face). Ne pas piquer la viande. Saler, poivrer.

— Sécher sur du papier absorbant, garder au chaud.

— Disposer les champignons autour.

— Mettre la truffe dans la poêle avec la crème, cuire 30 secondes en remuant.

— Vérifier l'assaisonnement.

— Verser sur la viande. Servir aussitôt.

PAIN DE VIANDE CHAUD

500 g de bœuf haché   4 épices, sel, poivre
200 g de foie de génisse
250 g d'oignons
2 gousses d'ail
1/2 boîte de tomates
Persil fort haché
2 tranches de pain de mie
1 œuf
50 g d'amandes effilées
10 g de beurre

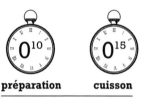

préparation   **cuisson**

— Arroser les tranches de pain avec le jus des tomates.

— Égoutter ces dernières. Mixer le tout avec les oignons, l'ail.

— Battre les œufs, ajouter à la précédente préparation puis mélanger avec le bœuf, les amandes, sel, poivre, 4 épices.

— Chauffer le four (th. 5).

— Beurrer un moule à cake, verser la préparation, tasser, couvrir de papier sulfurisé beurré.

— Cuire 1 heure au bain-marie dans le four.

— Démouler et servir chaud avec des haricots verts ou froid avec une salade verte.

---

24 JUIN : La Saint-Jean-Baptiste : « Et voilà à la Saint-Jean... »
Le début de l'été, qui annonce cette période de moisson, est fêtée par une assemblée (foire) et le soir par des grands feux autour desquels on tourne en chantant. Lorsque le feu est moins haut, quelques courageux se risquent à sauter par-dessus, pour avoir, dit-on, de la chance toute l'année.

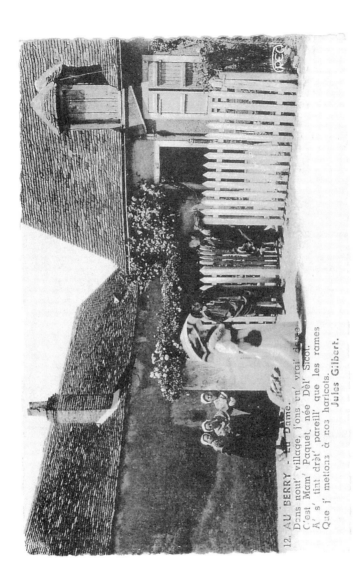

12. AU BERRY - La Dame.

Dans nout' village, j'ons un' vrai dame.
C'est Mam' Paquet, née Del' Sicot.
A' s' tint drèt' pareil' que les rames
Que j' metions à nos haricots.

Jules Gilbert.

BŒUF AUX CHOUX RAVES *

2 morceaux de bœuf par pers. (type bœuf à braiser)
1 chou rave ou 2 (selon le nombre de personnes)
2 oignons
2 gousses d'ail
Sel, poivre
1 bouquet garni
1 verre de vin blanc

1 verre d'eau
Petits lardons

préparation 0¹⁵ **cuisson** 1

— Faire revenir les lardons dans un peu de matière grasse, ajouter les oignons émincés, les morceaux de bœuf, les gousses d'ail.

— Lorsque tout est bien doré, ajouter les verres de vin et d'eau, saler, poivrer, mettre le bouquet garni et faire cuire à feu doux, 1 heure environ.

— Au bout d'une heure, ajouter le chou rave, coupé en morceaux et faire cuire à nouveau environ 1 heure, suivant la grosseur des morceaux de viande. Si besoin rajouter un peu d'eau.

Dès le début de septembre, on se prépare à vendanger la petite vigne qui fournit du vin pour l'année, ou bien on se rend chez celui qui aura besoin d'aide pour la cueillette du raisin. Les vendanges donnent encore l'occasion à tous ceux qui se rassemblent de danser et chanter sur le thème du vin.

BŒUF EN DAUBE DE SANCOUINS **

1,5 kg bœuf (gîte,
macreuse, culotte,
tranche, paleron)
1 l de vin rouge
4 oignons
3 carottes
3 gousses d'ail
3 cuil. d'huile d'olive
150 g de lard gras
6 grains de poivre noir

2 clous de girofle
1 bouquet garni
1 verre de vinaigre

préparation   **cuisson**

(marinade 24 h)

— Couper les morceaux de bœuf en carrés assez gros (100 g environ).

— Mettre dans une sauteuse avec l'huile d'olive.

— Ajouter les carottes coupées en lamelles, les oignons coupés en 4, l'ail écrasé, 6 grains de poivre noir, 2 clous de girofle, le bouquet garni.

— Bien remuer le tout.

— Retirer du feu. Verser du vinaigre et du vin rouge. Laisser mariner toute une nuit.

— Le lendemain, retirer la viande, les oignons et faire revenir dans une cocotte en terre avec les lardons.

— Faire colorer puis couvrir avec la marinade (ajouter du vin si nécessaire. Couvrir et cuire à four doux 4 h 30 environ).

— Servir après avoir retiré le bouquet garni.

— Accompagner de pâtes ou de pommes vapeur.

FILET DE BŒUF À LA BERRICHONNE **

1 kg de filet de bœuf
30 petits oignons blancs
(grelots)
6 coeurs de choux verts
6 tranches de lard frais
1/2 l de bouillon de bœuf
1 cuil. à café de sucre
Sel, poivre

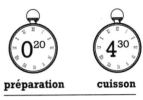

préparation   **cuisson**

— Faire blanchir les choux (ne prendre que les coeurs). Égoutter.

— Dans une cocotte disposer les tranches de lard et poser les coeurs de choux.

— Fermer et cuire à feu doux 1 heure environ.

— Pendant ce temps, préchauffer le four.

— Mettre le filet à cuire dans un plat beurré (25 minutes), retourner en cours de cuisson, saler, poivrer.

— Mettre les oignons à cuire dans une sauteuse avec du beurre. Saupoudrer avec le sucre et verser 1 verre de bouillon tiède.

— Faire glacer les oignons une vingtaine de minutes.

— Sortir le filet du four. Déglacer le jus avec le reste du bouillon.

— Disposer le filet sur un plat chaud, entouré des oignons, du lard, des choux.

— Arroser la viande avec le jus et servir aussitôt.

155

POT AU FEU BERRIAUD **

1 kg de plat de côte de bœuf
1 petit jarret de veau
1 queue de veau
1 petite poule
1 saucisson à cuire
2 gousses d'ail
2 os à moelle

1 kg de navets
1 kg de carottes
1 kg de pommes de terre
6 poireaux
1 petit chou
Sel, poivre
1 cuil. de vinaigre de vin
Cornichons

préparation 0¹⁵ **cuisson** 1²⁵

— Dans un grand pot mettre suffisamment d'eau chaude salée pour couvrir les viandes de bœuf et de veau.

— Laisser cuire 2 heures, à petits bouillons, en écumant de temps en temps.

— Faire blanchir le chou, nettoyer les autres légumes et ajouter aux viandes (au bout de 2 heures) avec la poule, l'ail, les oignons piqués de 3 clous de girofle.

— Dans une casserole, mettre les os à moelle et remplir au 3/4 d'eau froide salée. Ajouter 1 cuillerée de vinaigre de vin.

— Porter à ébullition 30 minutes environ (feu doux).

— Faire pocher le saucisson dans cette eau en fin de cuisson.

— Laisser cuire le pot au feu 1 h 30. Rajouter alors les pommes de terre et prolonger la cuisson de 40 minutes.

— En fin de cuisson, retirer les viandes, couper, et disposer sur un plat chaud avec les os à moelle, le saucisson.

— Égoutter les légumes et disposer dans un second plat.

— Accompagner de gros sel, cornichons, moutarde.

— Dégraisser le bouillon, passer au chinois et servir en potage.

> Les Berriauds sont un groupe folklorique basé à Cerbois et ils dansent « la Bourrée de Cerbois » ce qui les met en appétit pour déguster le plat ci-dessus !

BŒUF AUX HERBES

1,5 kg de bœuf (contre filet ou jarret)
115 g de poitrine de porc maigre
450 ml de vin blanc sec
1 bouquet garni
8 jeunes carottes
4 à 6 jeunes navets
3 petites laitues ou coeurs de laitue

150 g de petits oignons nouveaux ou échalotes
150 g de pois écossés
Sel et poivre

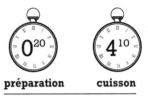

préparation 0²⁰   **cuisson** 4¹⁰

— Faire suer la poitrine dans un faitout. Augmenter le feu et faire revenir le bœuf coupé en cubes grossiers.

— Dans une casserole, amener le vin à ébullition avec le bouquet garni. Verser le vin sur le bœuf. Saler, poivrer et couvrir d'eau.

— Amener à petite ébullition, couvrir et laisser mijoter 2 heures à feu doux.

— Pendant ce temps, blanchir les carottes et les navets dans l'eau bouillante salée. Égoutter. Blanchir la laitue 2 minutes, égoutter et couper les laitues en 4.

— Mettre les carottes, les navets et les oignons dans le faitout avec la viande en ajoutant éventuellement de l'eau. Couvrir et laisser mijoter encore 10 minutes. Rectifier l'assaisonnement, et, si nécessaire, faire réduire la sauce après avoir réservé la viande et les légumes au chaud.

— Remettre la viande et les légumes dans le faitout et servir très chaud.

(Recette de Mme Catherine Rabaste)

157

DESSERTS

POIRAT

Pour 4 personnes :
350 g de pâte brisée
2 poires
3 cuil. à soupe d'Eau de
Vie de poire

40 g de sucre en poudre
Poivre du moulin
Huile
1 jaune d'œuf
1 blanc d'œuf

préparation **cuisson**

— Éplucher les poires, retirer les pépins, puis les couper en morceaux. Arroser d'eau de vie, parsemer d'une dizaine de tours de moulin à poivre et saupoudrer de sucre.

— Laisser macérer au moins 2 heures, en mélangeant les morceaux de poire de temps en temps.

— Séparer la pâte brisée en 2 blocs, puis les étaler en forme de rectangle.

— Poser un des rectangles de pâte sur la plaque à pâtisserie du four légèrement huilée. Répartir dessus, à 1 cm des bords, les dés de poire macérés et recouvrir le tout avec le second rectangle de pâte.

— Souder les bords avec du blanc d'œuf. Pratiquer une cheminée au centre, dorer le dessus au jaune d'œuf puis faire cuire à four chaud (220°, th. 7) durant environ 40 minutes.

> ** Pour cette recette, les poires en conserve ne conviennent pas car elles doivent macérer. On utilise donc des poires de saison, passe-crassane ou williams.*

PÂTÉ AUX POIRES **

(Autre version du Poirat)

4 belles poires
250 g de farine
125 g de beurre
1 pincée de sel et poivre
1 œuf
1 cuil. d'Eau de Vie de
poire
1/2 verre d'eau

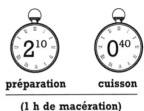

préparation   **cuisson**

(1 h de macération)

— Dans un saladier, mettre la farine, faire un trou au milieu et verser le beurre ramolli, le sel, 1/2 verre d'eau tiède.

— Travailler cette pâte et laisser reposer 1 heure.

— Pendant ce temps, couper les poires en morceaux, arroser d'eau de vie et ajouter le poivre.

— Mélanger le tout, laisser macérer 1 heure au frais.

— Étaler la pâte en rectangle.

— Disposer les quartiers de poire au milieu. Rabattre le reste de pâte et souder les bouts. Faire un trou au milieu, dorer à l'œuf et cuire 40 minutes à four chaud.

> Pendant la période d'avant l'hiver, on « rasserre » les vivres, les bois de chauffage, la nourriture pour le bétail. Le Berrichon peut, à cette période, faire usage de son droit d'affouages : il peut ramasser gratuitement son bois de chauffage sur les terrains communaux. Dans la région d'Arpheuilles, cette tradition s'appelle les « Usages ».

POIRES AU FOUR

1 kg de poires
100 g de sucre semoule
30 g de beurre
3 cuil. à soupe de crème
fraîche

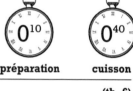

0^{10} 0^{40}

préparation   **cuisson**

0^5 **(th. 6)**
(th. 8)

— Éplucher les poires et les couper en quartiers.

— Les disposer dans un plat de porcelaine à feu en faisant chevaucher les quartiers. Saupoudrer de sucre.

— Parsemer de petits morceaux de beurre.

— Cuire au four. Augmenter le thermostat 5 minutes en fin de cuisson pour bien les dorer.

— Napper de crème fraîche, servir tiède.

> Le Sancerre blanc se boit en apéritif. Il accompagne au début des repas les coquillages, les fruits de mer, les poissons. Il est tout à fait à sa place avec le saumon de Loire par exemple. Mais aussi, et c'est curieux, il est délicieux à la fin du repas avec les crottins de Chavignol. Mais avec ce seul fromage. Le Sancerre rosé s'apprécie beaucoup l'été quand il fait chaud. Il est très désaltérant. Il se boit plus particulièrement l'après-midi et le soir. Dans les repas, il a une place privilégiée avec les entrées à base de viande, de foie et de charcuterie. Mais il peut se boire tout le long du repas surtout avec les viandes blanches. Le Sancerre rouge est léger et se boit tout au long de la journée. Il se digère très facilement. Mais sa place d'honneur est dans les repas, accompagnant les viandes rouges, les viandes en sauce, le gibier et tous les fromages.

POIRES AU VIN EPICÉES

6 kg de poires Williams
4 bouteilles de Valençay
rouge
850 g de sucre en poudre
1 baton de cannelle
5 clous de girofle
2 brins de romarin
6 cuil. à soupe de cassis

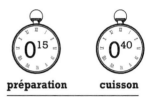

préparation **cuisson**

— Verser le vin dans une grande casserole.

— Ajouter le sucre, amener à ébullition, retirer du feu.

— Éplucher les poires entières en laissant la queue.

— Plonger dans le vin.

— Mettre les épices dans un nouet de mousseline. Déposer dans le vin et pocher les poires 20 minutes.

— Retirer les épices.

— Ébouillanter les bocaux.

— Disposer au fond une couche de poires puis une seconde couche tête bèche de manière à ce qu'elles s'encastrent bien.

— Remettre le vin à bouillir avec la crème de cassis.

— Réduire de 1/4. Passer au tamis. Remplir les bocaux.

— Fermer hermétiquement.

— Stériliser 1 heure à l'eau bouillante.

COUPE AUX POIRES

*750 g de poires bien
mûres
1 petit verre alcool de
poires
1 citron
1 pot de crème fraîche
épaisse
Sucre glace ou semoule*

préparation

**(30 mn macération
2 h au frais)**

— Peler et couper les poires en quartiers et en morceaux.

— Laisser macérer 30 minutes en arrosant de jus de citron puis d'alcool (à mi parcours).

— Fouetter la crème fraîche en chantilly ferme en ajoutant le sucre.

— Garnir les coupes.

— Verser un peu de chantilly au fond, ajouter les poires et alterner fruits, crème.

— Décorer le dessus avec de la crème, à la poche et garder au frais 2 heures.

— Se sert froid mais non glacé.

POIRES DU BERRY

4 œufs
2 pommes reinettes
2 poires
200 g de sucre en poudre
200 g de farine
1 sachet de sucre vanillé
1 sachet de levure
2 cuil. à soupe de
caramel liquide

préparation

— Caraméliser un moule ayant un bord.

— Disposer les quartiers de poires et de pommes.

— Dans un saladier casser les œufs, ajouter le sucre.

— Battre jusqu'à ce que le mélange soit mousseux.

— Ajouter le beurre fondu.

— Battre vivement.

— Ajouter la farine, la levure.

— Mélanger à nouveau.

— Mettre cette pâte sur les fruits.

— Cuire 15 minutes à four chaud puis 15 autres minutes à four moyen.

Le rebouteux avait le don de remettre les membres en place. Il réduisait les fractures et traitait aussi bien les entorses et luxations. Cependant ses interventions ne connaissaient pas invariablement une issue heureuse. Quelques fractures aggravées et hernies discales, notamment, naquirent de ses manipulations intempestives.

GÂTEAU AUX MARRONS

1 kg de marrons
3 œufs
Lait
Vanille
Sucre

préparation   **cuisson**

— Peler les marrons et les cuire à l'eau. Bien enlever la seconde peau et les réduire en purée.

— Pendant ce temps, faire chauffer du lait sucré dans lequel on rajoute un peu de vanille.

— Mélanger à la purée de châtaignes afin d'obtenir une bouillie.

— Ajouter 3 jaunes d'œufs et 3 blancs montés en neige. Bien mélanger.

— Verser dans un moule caramélisé.

— Cuire au bain-marie.

— Laisser refroidir.

— Démouler dans un plat creux et arroser d'une crème à la vanille froide.

Pour traiter son patient, le panseux de secret proférait des incantations magiques et secrètes assorties de signes de croix et gestes variés. Certaines formules sont demeurées fameuses comme « Anté, anté, super anté, super anté té ! » ou « Forçure, reforçure, je te force et reforce ! » prononcées respectivement contre les entorses et les tours de reins.

MOUSSELINE DE MARRONS AU CHOCOLAT

500 g de marrons pelés
125 g de chocolat noir et
2 autres tablettes
1/2 tasse d'eau
1 cuil. à café de fécule de
pommes de terre
3 œufs

préparation   **cuisson**

— Passer au tamis 500 g de marrons cuits à l'eau, bien épluchés et égouttés.

— Faire cuire le chocolat avec l'eau, lorsqu'il est bien lisse, ajouter à la purée de marrons et 3 blancs d'œufs battus en neige très ferme.

— Dresser cette mousse dans un compotier creux.

— Préparer une sauce au chocolat en faisant fondre dans un peu d'eau les 2 autres tablettes de chocolat. Lier avec une cuillerée à café de fécule et laisser bouillir un peu.

— Retirer du feu, verser sur la mousse.

— Servir frais.

Panseux de secret, persigneux et autres vartaupiers appliquaient leur traitement avant le lever du soleil. La transmission de leur secret s'effectuait obligatoirement vers une personne plus jeune, le plus souvent de la mère à la fille ou du père vers le fils, de préférence l'aîné. On prétendait que le pouvoir allait s'atténuant au fur et à mesure des transmissions.

TARTE AUX PRUNEAUX ou TARTE À BARRIAUX *

1 l de pruneaux
1/2 l de bon vin rouge
10 morceaux de sucre
Pâte :
300 g de farine
1 œuf
150 g de beurre
1 pincée de sel
1 cuil. à café d'huile

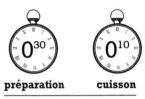

préparation   **cuisson**

— La veille faire tremper les pruneaux dans le vin rouge avec le sucre.

— Le matin faire cuire les pruneaux dans le vin, les dénoyauter chauds et les réduire en compote.

— Faire une pâte brisée puis étaler dans un moule rond ou sur une tôle en mettant de côté une large bande.

— Répartir la compote de pruneaux sur la pâte.

— Découper les bandes de pâte étroites que l'on dispose sur la compote en croisillons et soudant les bandes avec les bords extérieurs de la tarte, avec un peu d'eau.

— Dorer la pâte à l'œuf.

— Cuire (th. 6).

— À la sortie du four saupoudrer de sucre en poudre.

CASSE-MUSEAU

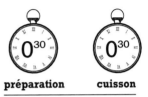

préparation   **cuisson**

Pâte :
250 g de farine
150 g de beurre
Sel fin
1 cuil. de sucre
1 tasse d'eau
Pommes reinettes
Beurre
Sucre

— Faire une pâte brisée avec les ingrédients ci-dessus.

— Laisser reposer 2 heures puis étendre cette pâte au rouleau, par petites parties auxquelles on donne une forme carrée et 1/2 cm d'épaisseur.

— Poser au centre de la pâte, une petite pomme reinette pelée, creusée. Emplir le trou avec le beurre, le sucre (ou une cuil. à café de gelée de coing).

— Envelopper la pomme avec la pâte. Bien souder autour. Dorer à l'œuf.

— Cuire 25 minutes à four chaud.

— Servir chaud ou froid.

> *Version du « casse-museau » selon Hugues Lopain.*
>
> *À l'origine ce gateau était l'offrande du serf au seigneur et ne comportait pas de pommes mais plutôt du fromage blanc (voir recette suivante).*

CASSE-MUSEAU

(Autre recette)

*Fromage blanc (une
assiette creuse)
3 cuil. à soupe de farine
1 œuf*

*125 g de beurre
Sel*

— Mélanger délicatement tous les ingrédients.

— Cuire dans un moule beurré en forme de couronne (45 minutes environ).

— Servir chaud ou tiède.

GOUÈRES

*500 g de pommes
reinettes coupées en
lamelles
2 œufs
250 g de farine
6 cuil. à soupe de sucre*

*en poudre
1 grand verre de lait
1 petit verre de vieux
Marc
1 pincée de sel*

préparation   **cuisson**

— Faire macérer toute la nuit les pommes avec le Marc dans lequel on a fait fondre 2 cuillerées à soupe de sucre.

— Dans une terrine, délayer la farine, 3 cuillerées de sucre, le sel, avec le lait et les œufs.

— Bien mélanger avec les pommes.

— Beurrer un moule à tarte, verser la préparation.

— Cuire 45 minutes.

POMMES AU FOUR *

Pour 6 personnes :
6 grosses pommes
6 tranches de pain de mie
1 jus de citron
20 cl de lait
1 sachet de sucre vanillé
Gelée de coing
Crème fraîche

préparation   **cuisson**

— Peler les pommes, les évider.

— Dans un grand plat en porcelaine à feu, déposer les tranches de pain de mie trempées dans le lait.

— Saupoudrer ces tranches avec le sucre vanillé.

— Disposer les pommes sur chaque tranche. Arroser de jus de citron.

— Mettre dans chaque pomme un peu de crème fraîche et une grosse cuillerée de gelée de coing.

— Faire cuire à four chaud (180°) durant 45 minutes, 1 heure environ.

— Servir tiède.

LES FAISEURS D'ETANGS
Tous les étangs de la Brenne paraissent bien être l'oeuvre des hommes. Si l'on en croit la tradition en effet, c'est aux moines des abbayes royales de Méobecq et de Saint-Cyran que l'on doit l'établissement des tout premiers étangs. L'aménagement d'un étang requérait une connaissance parfaite du terrain et un indéniable savoir-faire. En Brenne au xve siècle, les spécialistes de ces aménagements s'appelaient des « bessons ».

(Daniel Bernard)

POÊLONS MYSTÈRES

100 g de biscuits à la cuiller
100 g de sucre
1 verre de kirsch de Le Blanc
1 pot de fromage blanc maigre
4 abricots
Vanille en poudre

préparation

— Dans des petits poêlons en terre vernissée, disposer des morceaux de biscuits à la cuiller (côté plat dessus).

— Arroser d'un mélange égal d'eau et de kirsch.

— Verser dessus 2 cuillerées de fromage blanc bien passé et battu, non sucré.

— Au milieu, poser des moitiés d'abricots pochées et pelées.

— Verser sur le tout un peu de sirop de sucre froid et de la poudre de vanille sur les abricots.

LES TAUPIERS

Ces destructeurs d'animaux nuisibles ont exercé leur activité en Berry jusqu'à une époque très récente. Dans Mauprat, George Sand décrit l'un de ces « preneurs d'taupes » :

Marcasse faisait profession de purger des fouines, belettes, rats et autres animaux malfaisants les habitations et les champs de la contrée. Il ne bornait pas au Berry les bienfaits de son industrie ; tous les ans, il faisait le tour de La Marche, du Nivernais, du Limousin et de La Saintonge (...) On le voyait à époque fixe reparaître dans les mêmes lieux où il avait passé l'année précédente, toujours accompagné du même chien et de la même longue épée.

(Daniel Bernard)

FRAISES AU VIN *

préparation

— Laver les fraises, les équeuter, les mettre dans un saladier avec du sucre en poudre.
— Ajouter un bon verre de vin rouge.
— Mettre à macérer au frais.

GUIGNES AU VIN OU SOUPE DE GUIGNES *

— Équeuter les guignes, les mettre dans une casserole avec du sucre en poudre et 1/4 à 1/2 l de bon vin rouge suivant la quantité de cerises.
— Ajouter 1 paquet de sucre vanillé ou de la cannelle en poudre.
— Cuire 20 minutes.
— Laisser refroidir avant de servir.

CRÈME BRÛLÉE

0,5 l de lait
0,100 l de crème fleurette
4 jaunes d'œufs
25 g de sucre semoule
60 g de sucre cristallisé.

— Mélanger le lait, la crème, le sucre. Porter doucement à ébullition.

— Verser en battant sur les jaunes d'œufs.

— Remettre dans la casserole et faire épaissir sur feu doux en remuant jusqu'à ce que la crème nappe la cuiller.

— Verser dant un plat de porcelaine assez large.

— Laisser refroidir et mettre plusieurs heures au réfrigérateur (la veille pour le lendemain).

— Chauffer au maximum la rampe du haut du four.

— Saupoudrer la crème de sucre cristallisé et placer le plat dans le lèche-frites entouré de glaçons.

— Faire caraméliser sur toute la surface en surveillant.

— Remettre au réfrigérateur jusqu'au moment de servir.

512 — En Berry - Le Retour du bois

CRÈME BRÛLÉE À LA RHUBARBE

200 g de côtes de rhubarbe
4 jaunes d'œufs
130 g de sucre en poudre
2 dl de crème
4 épices
4 cuil. à soupe de sucre en poudre

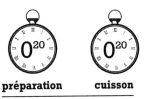

préparation   **cuisson**

— Éplucher la rhubarbe, couper en petits tronçons.

— Cuire dans 1 dl d'eau avec 50 g de sucre pendant 15 minutes.

— Préchauffer le four (th. 7).

— Dans un saladier, travailler les jaunes d'œufs avec le reste de sucre. Le mélange doit être mousseux.

— Ajouter la crème, la rhubarbe et une pincée de 4 épices.

— Verser dans des ramequins.

— Cuire au bain-marie au four (th. 7) jusqu'à ce que la crème soit prise.

— Sortir les ramequins du bain-marie.

— Saupoudrer la crème et faire caraméliser sous le gril quelques instants.

— Servir ensuite tiède ou froid.

CRÊPES FOURRÉES AUX NOIX ET AU MIEL

30 noix
40 cuil. à soupe de miel
Pâte pour 24 crêpes :
250 g de farine
1/2 cuil. de sel fin
2 cuil. à soupe de sucre
semoule
1/2 l de lait (ou moitié eau
moitié lait)
3 œufs

Beurre / huile pour la
cuisson
Sucre vanillé, rhum

— Dans une terrine mettre la farine, le sucre, le sel, le beurre fondu (ou l'huile).

— Délayer avec la moitié du liquide.

— Travailler le mélange énergiquement à la cuiller de bois pour obtenir une pâte lisse.

— Battre les œufs à la fourchette et ajouter à la pâte.

— Ajouter le reste du lait (ou le mélange eau/lait).

— Graisser la crêpière.

— Verser une louchée de pâte dans la poêle chaude et cuire les crêpes.

— Mélanger le miel aux noix écrasées.

— Disposer au milieu de chaque crêpe.

— Rouler et ranger dans un plat allant au four.

— Chauffer quelques minutes avant de servir.

MILLAT DE LEVROUX

500 g de cerises noires
5 cuil. de sucre en poudre
60 g de farine
3 œufs
2 cuil. d'huile

1/2 l de lait
1/2 verre de Kirsch du Blanc

 préparation 0¹⁰

 cuisson 0³⁵

— Équeuter les cerises sans les dénoyauter.

— Délayer la farine, les œufs, le sucre, dans le lait.

— Ajouter l'huile et le kirsch. Il convient d'obtenir une pâte consistante.

— Beurrer et sucrer légèrement un moule à tarte.

— Cuire à four assez chaud environ 30 minutes.

— Servir tiède ou frais.

DÉLICE D'ODILE AU POTIMARRON *

500 g de purée de potimarron
100 g de sucre roux (passé au mixer)
100 g de beurre

100 g de chocolat à fondre

— Réchauffer la purée de potimarron (tiède).

— Mélanger avec le beurre, le chocolat râpé et le sucre roux fin.

— Battre vivement pour obtenir une pâte lisse.

— Introduire la pâte dans un moule à cake garni d'un papier huilé et mettre le tout au réfrigérateur pour consommer le lendemain.

* Il faut 12 h minimum de réfrigération avant de servir.

TARTE AU POTIRON *

375 g de potiron
Eau
1/4 l de lait
10 g de sucre en poudre
75 g de beurre

60 g de farine
3 œufs extra frais
15 gouttes d'amande
amère
Pâte brisée

— Cuire à l'eau le potiron.

— Égoutter et écraser au mixer.

— Ajouter le lait, le sucre en poudre, le beurre, la farine, les œufs (battre les blancs en neige) et les 15 gouttes d'amande amère.

— Verser tout ce mélange sur la pâte brisée.

— Cuire 20 minutes.

Avant les labours de l'automne, la terre est débarrassée des chaumes qui serviront à l'alimentation du bétail et à la confection de leur litière. Pour effectuer ce travail, l'ouvrier utilise un chaumet, petit crochet de fer adapté à un manche qui sert à arracher le chaume engagé dans les forchons du pied-de-jau, petit bâton fourchu à trois fourchons.

« Un chaumeur habile pouvait faire en un jour une boisselée ou une boisselée et demie (de 7 à 10 ares) de travail. Cet exercice avait, paraît-il, le don de mettre en appétit. Trois livres de pain par jour n'étaient que jeu pour un chaumeur. Plusieurs, dont les noms pourraient être cités, ne reculaient pas devant un morceau de cinq ou six livres. Du reste, le dicton « manger comme un chaumeur », est toujours employée. »

(Daniel Bernard)

BISCUIT DE GRAND-MÈRE **

200 g de sucre en poudre
200 g de farine
3 œufs
80 g de beurre
1 cuil. à café de levure

2 cuil. d'Eau de Fleur
d'Oranger
Sucre glace / confiture
d'abricot

préparation

cuisson

— Dans un saladier, casser les œufs, ajouter le sucre, fouetter énergiquement.

— Tamiser la farine, la levure, faire fondre 3/4 du beurre.

— Mélanger le tout aux œufs sucrés.

— Parfumer à la Fleur d'Oranger.

— Beurrer un moule et verser la pâte.

— Cuire 40 minutes à four chaud.

— Démouler sur un linge, laisser refroidir.

— Couper en 2 dans l'épaisseur. Tartiner de confiture.

— Recomposer le gâteau et saupoudrer de sucre glace.

Le guérisseur de village ne réclamait jamais de rétribution en espèces. La coutume voulait qu'en témoignage de reconnaissance le patient lui fît un présent - volaille, lapin, œufs, légumes - ou glissât mine de rien quelques billets sur la table. Le guérisseur feignait de n'avoir rien remarqué et l'affaire en restait là.

PAIN D'ÉPICES *

1 verre de lait
1 verre de sucre
3 verres de farine
1 œuf entier
2 grosses cuillers de miel
1 pincée de sel
1 cuil. à café de
bicarbonate de soude
1 paquet de levure

— Mettre dans une terrine la farine et faire un puits.

— Casser l'œuf au milieu.

— Ajouter le sucre, le sel, le bicarbonate, la levure.

— Délayer doucement avec le lait. Ajouter ensuite le miel (s'il est trop épais, le faire chauffer pour le liquéfier).

— Battre cette préparation pendant 1/4 d'heure.

— Mettre dans un grand moule à cake, beurré et fariné (ou 2 car le pain d'épice gonfle beaucoup).

— Faire cuire à four moyen (150°) durant 30 minutes environ.

Cette recette de pain d'épices est connue en Berry bien qu'il faille constater que ce gâteau ne contient pas d'épices du tout, seulement du miel. C'est délicieux au petit-déjeuner.

PAIN D'ÉPICES **

(Autre recette)

préparation   **cuisson**

Pour 4 personnes :
225 g de farine
55 g de farine de seigle
2 cuil. à café de levure
1 cuil. à soupe de
cannelle en poudre
1/2 cuil. à café de
gingembre en poudre
1 pincée de sel
2 œufs battus

225 g de miel liquide
1 cuil. à café de graines
d'anis
Beurre pour le moule

— Préchauffer le four à 190° (th. 5). Beurrer un moule à cake de 23 × 11 cm.

— Tamiser les farines, la levure, les épices (sauf l'anis) et le sel dans une jatte.

— Former un puits au centre et incorporer les œufs et le miel.

— Ajouter l'anis et malaxer soigneusement pour obtenir une pâte lisse et homogène.

— Verser la pâte dans le moule beurré et mettre 40 minutes à four chaud.

— Sortir du four et laisser reposer 5 minutes.

— Démouler et laisser refroidir sur grille.

Le vartaupier soulageait de la vartaupe, c'est-à-dire d'une éruption de furoncles et de boutons purulents sur la nuque. Il tirait son pouvoir d'une initiative qui devait intervenir dès le plus jeune âge, avant le sevrage. Cette initiation consistait à étouffer vivantes une ou plusieurs taupes. Le meilleur vartaupier devait en avoir étouffé sept car il existait, disait-on, sept variétés de vartaupe.

BEUGNONS DE MI-CARÈME *

8 cuil. de farine
4 cuil. de sucre en
poudre
2 verres de lait
2 œufs
1 pincée de sel
1 cuil. d'Eau de Vie
1 kg de pommes
reinettes
1 jus de citron

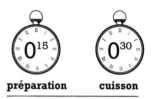

préparation 0¹⁵   **cuisson** 0³⁰

— Préparer une pâte liquide avec la farine, le sucre, le lait, les œufs, le sel. Ajouter l'eau de vie. Bien fouetter cette pâte et la laisser reposer.

— Peler les pommes, les couper en rondelles et citronner.

— Faire fondre 1 gros morceau de beurre dans une poêle avec un peu d'huile.

— Tremper les rondelles dans la pâte, les faire cuire dans la friture, de chaque côté, pour qu'elles soient bien dorées.

— Les disposer dans un plat et servir chaud.

— Saupoudrer de sucre.

Recette traditionnelle que l'on préparait pour la Mi-Carême.

SANCIAUX DE LA CHANDELEUR

3 œufs entiers
3 cuil. de miel liquide
2 cuil. de farine
0,5 l de lait
Sel, poivre

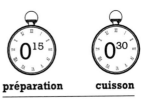

préparation 0^{15} **cuisson** 0^{30}

— Délayer les œufs, la farine, le miel (2 cuillerées) jusqu'à obtenir une pâte épaisse.

— Saler et poivrer modérément.

— Dans une poêle, chauffer un peu d'huile et verser une petite louche de pâte et travailler en omelette.

— Replier sur une couche de miel et servir tiède.

> *Actuellement les Sanciaux sont servis au dessert. Autrefois, on en faisait une grosse omelette (sans le miel) à laquelle on ajoutait de la mie de pain rassis, des lardons. On l'accompagnait d'une salade.*
>
> *Le jour de la « Chandeleur » ou de la « Bonne Dame Crépière » il faut manger des Sanciaux si l'on veut avoir de l'argent toute l'année.*

GÂTEAU DE PEAU DE LAIT

200 g de sucre
2 œufs
250 g de farine
1 paquet de sucre vanillé
1/2 paquet de levure en
poudre
2 tasses à thé de peau de
lait
1 noix de beurre

préparation   **cuisson**

— Tourner d'abord le sucre et les jaunes d'œufs.

— Ajouter la peau de lait.

— Bien mélanger.

— Ajouter la farine et la levure.

— Battre les blancs en neige ferme, et les incorporer délicatement à la pâte.

— Mettre dans un moule à cake beurré et cuire 1 h 15 à feu doux.

L'ancienne façon paysanne de faire le café surprendra certainement plus d'un d'entre nous. On ne possédait pas de cafetière à filtre, pas même parfois une bouilloire. On broyait donc des grains de café, ou à défaut les grains d'orge grillés, dans le moulin qui servait également à écraser le charbon des fromages affinés. On versait ensuite cette mouture dans la casse suspendue à la crémaillère. On ajoutait une pointe de chicorée, on remplissait d'eau et on laissait chauffer. Chacun puisait son content à la louche, en prenant bien garde de ne pas troubler la *cassetée*.

Pour le déjeuner du matin, la ménagère remplaçait l'eau par du lait frais tiré (on ne trayait pas les vaches en ce temps-là : on les *tirait*).

Il convient de noter encore qu'en plusieurs maisonnées, l'homme additionnait son café non sucré d'un peu de vin rouge. Ce curieux mélange s'appelait le *gloria*.

182

CLAFOUTIS *

préparation   **cuisson**

— Mettre dans un moule à tarte fariné, des guignes lavées et équeutées afin de garnir le fond. Saupoudrer de sucre en poudre.

— Préparer la pâte. Délayer dans un saladier 150 g de farine, 100 g de sucre, 3 œufs entiers, 1/4 de litre de lait, 1 cuillerée d'huile.

— Mettre cette pâte sur les guignes et cuire à four chaud (th.), 45 minutes environ.

— À la sortie du four, saupoudrer avec 1 sachet de sucre vanillé.

Le clafoutis se fait avec des guignes ou cerises noires. Bien sûr on peut le faire avec d'autres variétés de cerises mais ces guignes conviennent parfaitement.

L'AFFRANCHISSEUX
Il parcourt les campagnes et coupe les cochons à l'aide d'une flame, sorte de couteau à trois lames avec manche de corne. Ensuite pour cicatriser la plaie, il applique de l'Eau-de-Vie. Cette opération pratiquée sur des animaux âgés de plus de deux mois rend les sujets plus paisibles et améliore le rendement en viande.

(Daniel Bernard)

TARTE AU POTIRON D'YVONNE **

Garniture :
2 livres de potiron
150 g de crème fraîche
2 œufs
125 g de sucre
75 g de farine
1 citron

Pâte :
150 g de farine
75 g de beurre
1 œuf
1 cuil. à soupe de sucre
Sel fin

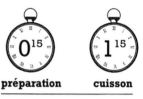

préparation **cuisson**

— Dans une terrine, mettre la farine, le beurre fondu, une pincée de sel, 1 cuillerée de sucre. Bien mélanger le tout.

— Laisser reposer 30 minutes.

— Cuire le potiron coupé en gros cubes dans un peu d'eau salée (15 minutes).

— Égoutter, écraser et faire assécher sur feu doux en remuant.

— Mélanger la farine (75 g), la crème, le sucre, la purée de potiron, le zeste de citron et les œufs battus.

— Étaler la pâte.

— Beurrer une plaque, garnir avec la pâte et verser la préparation.

— Cuire 40 minutes au four chaud.

— Laisser tiédir et démouler.

GOUERON DE REUILLY

1 poire
2 chasselas
250 g de farine
2 œufs
3 cuil. à soupe de sucre
en poudre

3 cuil. à soupe de
Sauvignon
1 verre de lait
Eau de Vie de prune de
Reuilly
Sel

 préparation 0

 cuisson

— Égrener les chasselas et émincer la poire bien mûre, dans une assiette.

— Prendre une terrine, délayer la farine avec les 2 œufs, le lait, le vin, ajouter le sucre et quelques gouttes d'Eau de Vie de prune.

— Bien remuer pour rendre la pâte onctueuse.

— Mélanger avec les fruits et verser le tout sur une tôle à rebords, bien beurrée et farinée.

— Cuire à four moyen.

— Après 20 minutes de cuisson, couvrir avec du papier aluminium pour éviter que le dessus ne soit brûlé.

(Recette de Mme Gilles Legros)

185

CONFITURES

GELÉE DE NÈFLES

— Laver les nèfles à grande eau sans les éplucher.

— Mettre à cuire dans une bassine à confitures, en les couvrant d'eau.

— Laisser bouillir, sans remuer.

— Passer au tamis quand elles sont cuites sans trop presser les fruits.

— Recueillir le jus qui en découle et le mettre à cuire avec le même poids de sucre cristallisé (20 minutes environ, jusqu'à ce que la gelée prenne).

MAÎTRES SONNEURS ET MENÉTRIERS
Jusqu'à la guerre de 1914, les Berrichons, passionnés de danse, n'hésitent pas à faire jusqu'à une dizaine de kilomètres à pied pour aller aux bals et assemblées retrouver les musiciens qui vont leur faire passer d'agréables moments. Dans Le Meunier d'Angibault, George Sand écrit « qu'ils aiment la danse avec fureur » et qu'« aucun peuple ne danse avec plus de gravité et de passion en même temps ».

CONFITURE DE POMMES ET DE CITROUILLE

500 g de citrouille
500 g de pommes en
compote
1 citron
1 kg de sucre

— Faire macérer la citrouille coupée en cubes avec le sucre durant toute la nuit, dans un récipient en verre (ou en porcelaine).
— Ajouter la compote de pommes, le jus et le zeste d'un citron non traité.
— Porter à ébullition et cuire ainsi 4 minutes.
— Vérifier la cuisson.
— Mettre en pots.

CONFITURE DE COURGES ET DE POMMES

500 g de courges
500 g de compote de
pommes peu sucrées
1 jus de citron et le zeste
1 kg de sucre

— Peler, couper les courges, ôter les pépins.
— Mélanger à la compote avec le jus de citron, le zeste de citron.
— Faire macérer 3 heures.
— Cuire jusqu'à ébullition et maintenir 4 minutes.
— Mettre en pots.

CONFITURE DE PÊCHES AU KIRSCH

1 kg de pêches   *1 verre à liqueur de*
(épluchées, dénoyautées) *kirsch*
1 kg de sucre

— Choisir des pêches blanches mûres à point. Les éplucher en les plongeant dans l'eau bouillante.
— Couper en 4 et retirer les noyaux.
— Mélanger les fruits et le sucre.
— Laisser macérer 3 heures.
— Amener à ébullition.
— Maintenir 4 minutes à gros bouillons.
— Retirer du feu, ajouter le kirsch.
— Mettre en pots.

CONFITURE DE MÛRES

— Laver, équeuter les mûres. Égoutter. Peser.
— Mettre 750 g de sucre par kg de fruits.
— Faire un sirop avec 2 verres d'eau, le sucre.
— Faire bouillir (feu doux).
— Ajouter les mûres et le jus de citron.
— Cuire en remuant fréquemment jusqu'à ce que la confiture épaississe.
— Arrêter la cuisson dès que quelques gouttes versées sur une assiette froide se figent.
— Mettre en pot.
— Laisser refroidir avant de couvrir.

CONFITURE DE CERISES À LA GROSEILLE

1 kg de cerises
0,5 kg de groseilles
rouges
Même poids de sucre
que de jus et de fruits
dénoyautés

— Presser les groseilles dans un tamis et recueillir le jus.

— Dénoyauter les cerises.

— Mettre 1 verre d'eau, le sucre et faire bouillir. Ajouter les cerises et le jus de groseilles.

— Cuire 20 minutes dès que l'ébullition est reprise.

— Vérifier la cuisson.

— Mettre en pots.

— Laisser refroidir avant de couvrir.

A Vailly-sur-Sauldre, un préposé du Service des Haras, l'at'lonnier, portant un uniforme grisâtre, soignait les étalons qui eux arboraient des rubans multicolores. À date fixe, l'atlonnier se rendait dans telle ou telle commune du canton et sa bête, pas feignante, implissait les j'ments des fermiers convoqués à cette fin. À Barlieu, les opérations se déroulaient sur la place devant le café Paret.

(Jean Landois)

CONFITURE DE MARRONS

Pour 1,5 kg de confiture :
1 kg de châtaignes
450 g de sucre
1 gousse de vanille

— À la pointe du couteau, pratiquer une incision dans le sommet de chaque châtaigne.

— Jeter les fruits dans une casserole d'eau bouillante et faire blanchir 5 minutes.

— Égoutter et laisser refroidir, éplucher.

— Mettre les châtaignes dans une casserole et couvrir d'eau.

— Poser le couvercle et amener à ébullition. Laisser mijoter 30 minutes à feu moyen.

— Pendant ce temps, verser le sucre et une louche d'eau dans une petite casserole.

— Ouvrir la gousse de vanille dans le sens de la longueur, mélanger les graines, et la gousse de sucre.

— Faire mijoter 15 minutes pour obtenir un sirop.

— Égoutter les châtaignes en réservant l'eau de cuisson et les réduire en purée.

— Allonger d'eau pour obtenir 500 ml de liquide et incorporer à la purée de fruits.

— Ajouter le sirop et laisser 10 minutes à petite ébullition sans cesser de remuer.

— Verser la confiture dans des bocaux stérilisés chauds et bien essuyés et fermer les pots.

(Recette de Mme Catherine Rabaste)

4. AU BERRY - Le Marché.
Ma chèr' dame, fiez-vous en à moi :
Pas d' marché noir, j' suis mon ch'min droit.
Y a l' qrous poulet et l' pochon d' noix ?
Huit et cinq seize et neuf trent' trois.

Jules Gilbert.

CONFITURE DE POTIRON **

1,5 kg de potiron
600 g de sucre cristallisé
2 citrons

— Couper le potiron en petits morceaux et ôter les pépins.
— Mélanger avec le sucre.
— Ajouter les citrons en rondelles.
— Laisser au repos la nuit.
— Porter à ébullition pendant 1 heure. Écumer.
— Verser en pots.
— Laisser figer et couvrir.

LES MULETIERS
Les muletiers alimentant les nombreuses forges du pays berrichon en mine-rai de fer et en charbon de bois jouissaient d'une sinistre réputation dans les Maîtres Sonneurs, George Sand les a dépeints sans complaisance : « Ce sont gens sauvages, méchants et mal appris, qui vous tuent un homme dans un bois avec aussi peu de conscience qu'un lapin ; qui se prétendent le droit de ne nourrir leurs bêtes qu'aux dépens du paysan... ». Le principal grief des paysans à leur encontre était que lesdits muletiers dévastaient pacages et récoltes et faisant pâturer sans vergogne leurs bêtes dans les champs bor-dant chemins et sentiers.

(Daniel Bernard)

BOISSONS

LIQUEUR DE FEUILLES DE PÊCHER

47 feuilles de pêcher
27 morceaux de sucre
1 l d'Eau de Vie de prune

— Prendre un bocal d'une contenance d'1 litre.

— Poser au fond les feuilles de pêcher fraîchement cueuillies, les morceaux de sucre.

— Remplir le bocal avec l'Eau de Vie de prune.

— Boucher hermétiquement et laisser macérer 27 jours.

— Filtrer. Mettre en flacons.

— Laisser reposer au frais 2 mois environ avant de servir.

L'été on consommait le Mié pour se désaltérer après les efforts importants des travaux des champs.
Dans un grand bol, on mettait 2 morceaux de sucre, 1 verre d'eau très fraîche, 1 verre de Pinot rouge et des petits morceaux de pain. On faisait tremper quelques minutes.

LIQUEUR DE PRUNELLES

500 g de prunelles
1 l d'eau de vie à 80°
Sirop : 400 g de sucre
pour 1 litre d'eau

— Concasser les prunelles.
— En remplir au tiers un bocal d'un litre.
— Achever de remplir le bocal avec l'eau de vie.
— Laisser reposer 2 mois (ou plus).
— Préparer ensuite un sirop de sucre et le mélanger froid à l'infusion de noyaux.
— Bien mélanger. Filtrer. Mettre en bouteilles.

> ** On cueille les prunelles en octobre après les premières gelées.*

LES MINEURS DE FER
Depuis l'Antiquité, le Berry est réputé pour le travail du fer et l'exploitation des mines. Même les chansons populaires de la région évoquent cette activité fort ancienne :

> « Oh ! viens t'en don'mignonne,
> Bien gentiment, ben doucement
> Sus l'bord de la rivière,
> Avec ces trois jolis mineurs,
> Mineurs des mines de fer... »

> (Daniel Bernard)

LIQUEUR DE CERISES À L'ANCIENNE

1 kg de cerises noires   *4 clous de girofle*
1 l 1/4 d'Eau de Vie à 40°   *1 bâton de cannelle*
500 g de sucre en poudre   *1 l d'eau*

— Laver, dénoyauter les cerises.

— Piler quelques noyaux.

— Dans des bouteilles que l'on a fait bouillir, verser les fruits et quelques noyaux broyés, 3/4 de la bouteille.

— Compléter avec l'alcool.

— Fermer et laisser reposer 3 semaines dans un endroit sombre.

— Faire chauffer l'eau avec le sucre, la cannelle, les clous de girofle.

— Laisser bouillir et arrêter aussitôt le feu.

— Quand le sirop est froid, vider toutes les bouteilles dans un grand récipient, mélanger au sirop.

— Remuer.

— Filtrer la liqueur.

— Mettre en bouteilles.

— Bien fermer.

— Laisser reposer plusieurs semaines au frais avant de boire.

* À la place des clous de girofle on peut mettre du gingembre.

194

VIN DE GROSEILLES

2 kg de groseilles
500 g de cassis
1,5 kg de sucre

— Égrener les groseilles et les cassis.

— Écraser dans une jate et laisser reposer 1 jour.

— Ensuite, verser ces fruits dans un linge fin et recueillir le jus.

— Peser ce jus et prendre un poids égal de sucre en poudre.

— Prendre le double de poids d'eau distillée.

— Faire fondre le sucre dans cette eau en chauffant (10 minutes d'ébullition).

— Laisser refroidir.

— Ajouter le jus de fruit. Bien mélanger.

— Verser dans une bouteille, bouchon percé d'une paille pour permettre l'évacuation des gaz.

— Mettre 2 mois dans une cave.

— Décanter et remettre 2 mois au frais dans les mêmes conditions qu'au préalable. Le vin est prêt à consommer quand il n'y a plus de fermentation.

APÉRITIF AUX FEUILLES DE PÊCHER *

— Faire macérer 48 heures dans un bon litre de vin rouge à 12° (ou de vin blanc), 100 feuilles de pêcher, avec 44 morceaux de sucre et 1 verre d'eau de vie (on peut rajouter 1 gousse de vanille).

— Filtrer et laisser vieillir minimum 4 mois en bouteille.

La cueillette des feuilles de pêcher s'effectue entre les deux «Bonnes Dames» (C'est à dire entre le 15 août et le 8 septembre).

APÉRITIF AUX FEUILLES DE NOYER *

— Ramasser les feuilles de noyer à la saint Jean.

— Faire macérer 1 poignée de ces feuilles dans un verre d'Eau de Vie pendant 15 jours.

— Bien presser les feuilles dans l'Eau de Vie, puis ajouter à 1 litre de bon vin rouge, dans lequel on aura dissout 35 morceaux de sucre.

LIQUEUR DE FEUILLES DE NOYER **

20 feuilles vertes
2/3 de vin blanc doux
150 g de sucre
1 verre d'Eau de Vie

— Laisser macérer les feuilles 20 jours dans l'Eau de Vie.

— Filtrer, verser dans une casserole avec le vin. Sucrer.

— Chauffer doucement en remuant.

— Après ébullition, arrêter le feu et laisser refroidir.

— Filtrer à nouveau.

— Mettre en carafe bien fermée mais ne consommer que quelques mois plus tard.

VIN DE NOIX **

2/3 bouteille de vin rouge
200 g de sucre cristallisé
1 verre d'eau de vie
1 quartier d'orange
3 noix vertes non écalées

— Cette recette se fait fin juillet :

— Concasser les noix.

— Mettre dans un bocal avec sucre, vin, Eau de Vie, Orange.

— Boucher.

— Laisser macérer 40 jours en remuant souvent.

— Filtrer et mettre en carafe.

APÉRITIF DE POUSSES D'ÉPINES **

1 l de vin rouge
20 cl d'Eau de Vie
20 morceaux de sucre
n° 3
1 poignée de pousses
d'épines noires (avec les
feuilles).

— Mettre tous ces ingrédients à macérer au frais pendant 10 à 15 jours en « touillant » de temps en temps.
— Filtrer.
— Mettre en bouteilles et conserver au frais.

Dans son Histoire naturelle, Buffon écrit :
« Les territoires de Meusnes et de Couffy, dans le Berry, à deux lieues de Saint-Aignan et demi-lieue du Cher, vers le midi, sont les endroits de France qui produisent les meilleures pierres à fusil, et presque seules bonnes ; aussi en fournissent-ils non seulement en France, mais assez souvent en pays étrangers. »
La fabrication de ces pierres à fusil assurait des ressources complémentaires à tout un monde de petits paysans et de simples journaliers. Les caillouteurs qui s'associaient à plusieurs pour acheter un droit de fouille dans un terrain dont ils n'étaient pas propriétaires. Loin est le temps où le Berry expédiait de grosses quantités de pierres à fusil en Hollande, en Autriche, en Espagne, en Angleterre et même en Amérique à l'époque de la Guerre d'Indépendance... Depuis l'adoption des armes à percussion, l'art du caillouteur a disparu.

(Daniel Bernard)

TABLE DES RECETTES

POTAGES

BŒUF

DESSERTS

CONFITURES

BOISSONS

ACHEVÉ D'IMPRIMER SUR LES PRESSES DE GRAFICAS ONA
31014 ARTICA-PAMPLONA (NAVARRA) EN MAI 1995